# LE MURMURE
# DES FANTÔMES

BORIS CYRULNIK

# LE MURMURE
# DES FANTÔMES

Odile
Jacob

# INTRODUCTION

Personne ne pouvait deviner que c'était un fantôme. Elle était trop jolie pour ça, trop douce, rayonnante. Une apparition n'a pas de chaleur, c'est un drap froid, un tissu, une ombre inquiétante. Elle, elle nous ravissait. On aurait dû se méfier. Quel pouvoir avait-elle pour tant nous charmer, nous saisir et nous emporter pour notre plus grand bonheur? Nous étions piégés, au point de ne pas comprendre qu'elle était morte depuis longtemps. En fait, Marilyn Monroe n'était pas complètement morte, un peu seulement, par moments un peu plus. Son charme, en faisant naître en nous un sentiment délicieux, nous empêchait de comprendre qu'il n'est pas nécessaire d'être mort pour ne pas vivre. Elle avait commencé à ne pas être vivante dès sa naissance. Sa mère, atrocement malheureuse, chassée de l'humanité parce qu'elle avait mis au monde une petite fille illégitime, était hébétée de malheur. Un bébé ne peut pas se développer ailleurs qu'au milieu des lois inventées par les hommes, et la petite Norma Jean Baker, avant même de naître, se trouvait hors

la loi. Sa mère n'a pas eu la force de lui offrir des bras
sécurisants tant sa mélancolie remplissait son monde. Il a
fallu placer la future Marilyn dans des orphelinats glacés
et la confier à une succession de familles d'accueil où il
était difficile d'apprendre à aimer.

Les enfants sans famille valent moins que les autres.
Le fait de les exploiter sexuellement ou socialement n'est
pas un bien grand crime puisque ces petits êtres abandonnés ne sont pas tout à fait de vrais enfants. Certains
pensent comme ça. Pour survivre malgré les agressions, la
petite « Marilyn dut se mettre à fantasmer, à se nourrir de
la douleur même, avant de sombrer dans la mélancolie et
la folie de sa mère [1] ». Alors, elle a déclaré que Clark Gable
était son vrai père et qu'elle appartenait à une famille
royale. Tant qu'à faire ! Elle se constituait ainsi une vague
identité puisque, sans rêves fous, elle aurait eu à vivre
dans un monde de boue. Quand le réel est mort, le délire
procure un sursaut de bonheur. Alors, elle a épousé un
champion de football pour qui elle a cuisiné chaque soir
des carottes et des petits pois dont les couleurs lui plaisaient tant.

À Manhattan où elle a suivi des cours de théâtre, elle
est devenue l'élève préférée de Lee Strasberg, fasciné par
sa grâce étrange. Souvent déjà, elle avait été morte. Il fallait beaucoup la stimuler pour qu'elle ne se laisse pas aller
à la non-vie. Elle s'engourdissait, ne quittait pas son lit et
ne se lavait plus. Quand un baiser la réveillait, celui
d'Arthur Miller pour qui elle s'est faite juive, de John
Kennedy ou d'Yves Montand, elle se ranimait, éblouissante et chaleureuse, et personne ne se rendait compte
qu'il était ravi par un fantôme. Elle le disait pourtant

quand elle chantait *I'm Through With Love*, mais, déjà au bout du monde, rayonnante en pleine gloire, elle savait qu'il ne lui restait que trois années à vivre avant de se donner un dernier cadeau : la mort.

Marilyn n'a jamais été complètement vivante mais nous ne pouvions pas le savoir tant son merveilleux fantôme nous ensorcelait.

La dernière biographie de Hans Christian Andersen commence par cette phrase : « Ma vie est un beau conte de fées riche et heureux [2]. » Il faut toujours croire ce qu'écrivent les auteurs. En tout cas, la première ligne d'un livre est souvent lourde de sens. Quand le petit Hans Christian est arrivé au monde au Danemark en 1805, sa mère avait été contrainte par sa propre mère, qui la battait et lui imposait des clients, à se prostituer. La fille s'était enfuie, enceinte de Hans Christian et avait épousé M. Andersen. Cette femme était prête à tout pour que son fils ne connaisse pas la misère. Alors, elle est devenue blanchisseuse et le père s'est fait soldat sous Napoléon. Alcoolique et illettrée, elle est morte dans une crise de *delirium tremens* tandis que le père se tuait en pleine démence. Le petit garçon a dû travailler dans une draperie, puis dans une usine à tabac où les relations humaines étaient souvent violentes. Pourtant, Hans Christian, né dans la prostitution, la folie et la mort de ses parents, dans la violence et la misère, n'a jamais manqué d'affection. « Très laid, doux et gentil comme une fille [3] », il a d'abord baigné dans le désir de sa mère qui souhaitait le rendre heureux, puis dans le giron de la grand-mère paternelle où il fut tendrement élevé avec l'aide d'une voisine qui lui a appris à lire. La communauté des cinq mille âmes d'Odense, sur l'île verdoyante de Fionie, était fortement marquée par la tradition des conteurs. La poésie scandait les rencontres où l'on se récitait la saga islandaise et où l'on pratiquait les jeux des Inuits du Groenland. L'artisanat, les fêtes et les processions rythmaient la vie de ce groupe chaleureux auquel il faisait bon appartenir.

On peut imaginer que le petit Hans a perçu son premier monde autour de lui, dessiné sous forme d'oxymoron, où deux termes antinomiques s'associent en s'opposant, comme les voûtes d'un toit se soutiennent parce qu'elles se dressent l'une contre l'autre. Ce curieux assemblage de mots permet d'évoquer sans se contredire une « obscure clarté » ou un « merveilleux malheur ». Le monde du petit Andersen devait s'organiser autour de ces deux forces, il lui fallait absolument s'arracher à la boue des origines pour vivre dans la clarté de l'affectivité et l'étrange beauté des contes de sa culture.

Ces mondes opposés étaient liés par l'art qui transforme la fange en poésie, la souffrance en extase, le vilain petit canard en cygne. Cet oxymoron qui constituait l'univers dans lequel grandissait l'enfant fut rapidement incorporé dans sa mémoire intime. Sa mère, qui le réchauffait par sa tendresse, baignait dans l'alcool et mourait dans les vomissures du *delirium*. Une de ses grands-mères incarnait la femme-sorcière, celle qui n'hésite pas à prostituer sa fille, tandis que l'autre personnifiait la femme-fée, celle qui donne la vie et invite au bonheur. C'est ainsi que le petit Hans apprit très tôt la représentation d'un monde féminin clivé qui fera de lui plus tard un homme intensément attiré par les femmes, et terrifié par elles. Son enfance « profiterole » était faite d'humiliations incessantes et de souffrances réelles associées dans un même élan aux délices quotidiennes des rencontres affectueuses et des merveilles culturelles. Non seulement il parvenait à supporter l'horreur de ses origines, mais c'est peut-être même la terrifiante épreuve de ses premières années qui avait souligné la tendresse des femmes et la beauté des contes. L'oxymoron qui structurait son monde devait aussi thématiser sa vie et gouverner ses relations d'adulte.

Dans l'histoire d'une vie, on n'a jamais qu'un seul problème à résoudre, celui qui donne sens à notre existence et impose un style à nos relations. Le désespoir du vilain petit canard fut teinté d'admiration pour les grands cygnes blancs et animé par l'espoir de nager auprès d'eux afin de protéger d'autres vilains petits enfants.

Ce couple de forces opposées qui lui donnait l'énergie de « sortir du marécage pour accéder à la lumière des cours royales [4] » explique aussi ses amours douloureuses. Hans, oiseau blessé, tombé trop tôt du nid, était sans cesse amoureux de fauvettes terrifiantes. Toute femme l'attirait, lui, le blessé sauvé des boues par l'attachement féminin, mais cette sacralisation du lien, cette divinisation des femmes qui galvanisait sa rêverie inhibait sa sexualité. Il n'osait les aimer que de loin. On ne devient pas cygne impunément et le prix de sa résilience [5], qui lui coûtait sa sexualité, le poussait vers une solitude qu'il remplissait de créations littéraires.

Hans Christian Andersen est né dans la prostitution de sa mère, la folie de ses parents, la mort, l'orphelinage précoce, la misère domestique, la violence sociale. Comment ne pas rester mort quand on vit comme ça ? Deux braises de résilience ont ravivé son âme : l'attachement à quelques femmes a réparé l'estime de l'enfant délabré et un contexte culturel de récits étranges où la langue des marécages a fait surgir de la brume des gnomes, des lutins, des fées, des sorcières, des elfes, des guerriers, des dieux, des armes, des crânes, des sirènes, des marchandes d'allumettes et des vilains petits canards dédiés à la mère morte.

Le lien et le sens [6], les deux mots qui permettent la résilience, Marilyn Monroe n'a jamais pu les rencontrer. Sans liens et sans histoire, comment pourriez-vous devenir vous-même ? Quand la petite Norma a été placée dans un orphelinat, personne ne pouvait penser qu'un jour elle deviendrait une Marilyn à couper le souffle. La carence affective avait fait d'elle un oisillon déplumé, tremblant, recroquevillé, incapable d'ouverture sur le monde et les gens. Les changements incessants de familles d'accueil n'avaient pas permis d'organiser autour d'elle une permanence affective qui lui aurait permis d'acquérir le sentiment d'être aimable. Si bien que lorsqu'elle est arrivée à l'âge du sexe, elle s'est laissé prendre par qui voulait bien d'elle.

Quand les hommes n'en profitaient pas sexuellement, ils l'exploitaient financièrement. Darryl Zanuck, le producteur de cinéma, avait intérêt à la considérer comme une tête de linotte, afin de faire fortune en la louant à d'autres studios. Et même ceux qui l'ont sincèrement aimée n'ont pas su pénétrer dans son monde psychique pour l'aider à faire un travail d'historisation qui aurait donné sens à son enfance bousculée. Ses amants amoureux se sont voluptueusement laissé piéger par la magnifique image de la douce Marilyn. Aveuglés par tant de beauté, nous n'avons pas su voir son immense désespoir. Elle est restée seule dans la boue où, de temps en temps, nous lui jetions un diamant... jusqu'au jour où elle s'est laissée partir.

Le vilain petit Hans avait rencontré, au cours de son enfance terrifiante, les deux principaux tuteurs de résilience : des femmes l'avaient aimé et des hommes avaient organisé un entourage culturel où les contes permettaient de métamorphoser les crapauds en princes, la boue en or, la souffrance en œuvre d'art.

La douce et jolie Norma n'a pas été plus agressée que le petit Hans. Beaucoup de familles d'accueil savent réchauffer ces enfants. Mais la petite fille, trop sage à cause de sa mélancolie, n'avait pas rencontré la stabilité affective qui aurait pu la charpenter, ni les récits dont elle avait besoin afin de comprendre comment il lui fallait vivre pour sortir de la fange.

Le petit Hans évadé de l'enfer a repris goût à la vie. Il a fréquenté les cygnes, a écrit des contes et fait voter des lois pour protéger d'autres vilains petits canards. Mais sa personnalité clivée a éteint sa sexualité car il avait trop peur des femmes qu'il adorait. Ce renoncement lui a offert une compensation en inventant des héros auxquels se sont identifiés beaucoup d'enfants blessés [7].

L'émouvante Marilyn n'est pas revenue à la vie. Elle est restée morte. C'est son fantôme que nous adorions. Elle n'a pas tricoté sa résilience parce que son milieu ne lui a jamais offert de stabilité affective et ne l'a pas aidée à donner sens à sa déchirure. Le petit Hans, lui, a rencontré les deux piliers de la résilience qui lui ont permis de construire une vie passionnante, malgré tout. Son évasion de l'enfer lui a coûté sa sexualité, mais personne ne prétend que la résilience est une recette de bonheur. C'est une stratégie de lutte contre le malheur qui permet d'arracher du plaisir à vivre, malgré le murmure des fantômes au fond de sa mémoire.

# I

## LES BAMBINS
## OU L'ÂGE DU LIEN

## Sans surprise, rien n'émergerait du réel

On ne peut parler de résilience que s'il y a eu un traumatisme suivi de la reprise d'un type de développement, une déchirure raccommodée. Il ne s'agit pas du développement normal puisque le traumatisme inscrit dans la mémoire fait désormais partie de l'histoire du sujet comme un fantôme qui l'accompagne. Le blessé de l'âme pourra reprendre un développement, dorénavant infléchi par l'effraction dans sa personnalité antérieure.

Le problème est simple. Il suffit de poser la question clairement pour le rendre compliqué. À cet effet, je demanderai :

- Qu'est-ce qu'un événement ?
- Quelle est cette violence traumatique qui déchire la bulle protectrice d'une personne ?
- Comment un traumatisme s'intègre-t-il dans la mémoire ?

• En quoi consiste l'étayage qui doit entourer le sujet après le fracas afin de lui permettre de reprendre vie, malgré la blessure et son souvenir?

Il y avait deux gosses de l'Assistance dans cette ferme de Néoules, près de Brignoles. Un grand de 14 ans et René, âgé de 7 ans. Les garçons dormaient dehors, dans la grange en bois, tandis que Cécile la bossue, la fille de la maison, avait droit à un lit avec des draps blancs dans une chambre. La fermière était dure, « ça marchait à la trique chez Marguerite ». Comme elle n'avait rien à dire aux garçons, chaque fois qu'elle passait près d'eux, elle leur envoyait un coup de bâton, comme ça. Elle les ratait souvent mais, ce qui est frappant pour ainsi dire, c'est que lorsque les garçons recevaient un coup, ils ne le reprochaient jamais à la métayère. Au contraire, c'est à eux-mêmes qu'ils en voulaient : « Tu l'avais pourtant entendue venir », « tu aurais pu mieux te placer pour te protéger »... Cette interprétation permet de comprendre que la douleur d'un coup n'est pas un traumatisme. Ils avaient mal souvent et se frottaient la tête ou le bras, mais quand ils se représentaient l'événement, quand ils se le racontaient ou se rappelaient quelques images, ils ne souffraient pas une deuxième fois puisque le coup venait de quelqu'un qu'ils n'aimaient pas. On n'en veut pas à la pierre contre laquelle on se cogne, on a mal c'est tout. Mais quand le coup provient d'une personne avec qui on a établi une relation affective, après avoir enduré le coup, on souffre une deuxième fois de sa représentation.

Les enfants ne s'étonnaient pas de ce sentiment. La rage d'avoir été piégés et l'autoaccusation constituaient déjà des indices de résilience, comme s'ils avaient pensé : « Nous avions une petite possibilité de liberté. En l'entendant venir, nous pouvions l'éviter, nous avons gâché cette chance. » Le fait de se rendre eux-mêmes responsables leur permettait de se sentir maîtres de leur destin : « Aujourd'hui je suis petit, seul et incroyablement sale, mais, un jour, tu verras, je saurai me mettre dans une situation où je ne recevrai jamais plus de coups. » Et comme la fermière ratait souvent sa cible, c'était un sentiment de victoire qui paradoxalement se développait dans l'esprit de René : « Je peux donc avoir la maîtrise des événements. »

La mère de Béatrice voulait être danseuse. Ses qualités physiques et mentales la promettaient à une belle carrière mais quand elle est tombée enceinte quelques mois avant le concours, son bébé a pris pour elle la signification d'un persécuteur : « À cause de lui, mes rêves sont fichus. » Alors, elle a détesté sa petite fille et quand on exècre quelqu'un, il faut lui trouver des raisons d'être haïssable, n'est-ce pas ? Elle la battait en lui expliquant que c'était pour son bien, afin qu'elle se développe mieux. Dans l'instant même où Béatrice recevait les coups, elle pensait : « Ma pauvre maman, tu ne sais pas te contrôler, tu n'es pas une vraie adulte. » Et cette condescendance la protégeait contre la souffrance de la représentation des coups. Béatrice ne souffrait qu'une seule fois. Il a fallu pourtant la séparer de sa mère tant la maltraitance était grande. Placée chez une voisine, Béatrice s'est sentie coupable du poids qu'elle lui infligeait : « Elle serait heureuse si je n'étais pas là. Elle est bien bonne de me prendre en charge. » Alors l'enfant est devenue d'une gentillesse morbide. Elle allait à pied à l'école afin d'économiser le ticket de bus, ce qui lui permettrait plus tard d'acheter un cadeau à sa tante. Elle se levait tôt le matin pour faire le ménage en silence afin qu'au réveil elle ait la surprise de voir une maison impeccable. Bien sûr, la voisine a pris l'habitude d'une cuisine propre et le jour où elle a trouvé le sol encore sale du repas de la veille, elle a insulté Béatrice et, dans l'excitation de la colère, lui a donné un coup de balai. La bastonnade n'avait pas fait mal, mais en signifiant que les efforts de Béatrice venaient d'être disqualifiés, elle a provoqué un désespoir de plusieurs jours où l'enfant, sans cesse, revoyait les images de la scène du coup de balai. Béatrice souffrait deux fois.

Pour éprouver un sentiment d'événement, il faut que quelque chose dans le réel provoque une surprise et une signification qui rendent la chose saillante. Sans surprise, rien n'émergerait du réel. Sans saillance, rien n'arriverait à la conscience. Si un morceau de réel ne « voulait rien dire », il ne ferait même pas un souvenir. C'est pourquoi nous ne prenons habituellement pas conscience de notre respiration ni de notre lutte contre l'attraction terrestre. Quand nous décidons d'y prêter attention, nous n'en faisons pas de souvenir puisque ce fait ne veut rien dire de particulier, sauf si nous tombons malades. Quand un fait ne s'intègre pas à notre histoire parce qu'il n'a pas de sens, il s'efface. Nous pouvons donc écrire dans un journal intime tous les faits de la journée, presque aucun ne donnera de souvenir.

## Quand la chute de la serpillière
## devient terrifiante

Certains scénarios vont devenir mémoire et jalonner notre identité narrative, comme une série d'histoires sans paroles : « Je me rappelle clairement qu'après ma réussite au bac, j'ai été avec un autre candidat boire un Martini sur le zinc d'un troquet. Je me rappelle la veste en daim de mon jeune condisciple, sa coiffure et son visage. Je me rappelle le zinc arrondi du bistro et la tête du serveur. Je me rappelle même avoir dit : " Maintenant que nous avons le bac, nous avons de la valeur. " Je me rappelle l'expression ahurie de mon copain qui, lui, estimait certainement qu'il avait de la valeur avant sa réussite au bac. » Celui qui parlait ainsi avait extrait ce scénario du magma du réel pour en faire une brique de la construction de son identité. Enfant abandonné, employé d'usine dès l'âge de 12 ans, sa réussite au baccalauréat prenait pour lui la signification d'un événement extraordinaire qui allait lui permettre de devenir ingénieur. L'école voulait dire « réparation », « compensation » pour un adolescent qui, sans diplôme, aurait eu du mal à se valoriser. Boire un Martini mettait en images le rituel d'un scénario qui allait baliser sa mémoire.

Sans événement, pas de représentation de soi. Ce qui met en lumière un morceau de réel pour en faire un événement, c'est la manière dont le milieu a rendu le sujet sensible à ce type d'information.

On ne peut parler de traumatisme que s'il y a une effraction, si la surprise cataclysmique ou parfois insidieuse submerge le sujet, le bouscule et l'embarque dans un torrent, dans une direction où il aurait voulu ne pas aller. Au moment où l'événement déchire sa bulle protectrice, désorganise son monde et parfois le rend confus, le sujet mal conscient de ce qui lui arrive, désemparé, souffre, comme René, des coups de bâton. Mais le plus tôt possible, il faut donner sens à l'effraction pour ne pas rester dans cet état confus où l'on ne peut rien décider parce qu'on ne comprend rien. C'est donc une représentation d'images et de mots qui pourra de nouveau former un monde intime, en reconstituant une vision claire.

L'événement qui fait trauma s'impose et nous met en déroute, alors que le sens que nous attribuons à l'événement dépend de notre histoire et des rituels qui nous entourent. C'est pourquoi Béatrice avait souffert des coups de balai de la voisine qui signifiaient pour elle l'échec de sa stratégie affective, alors qu'elle avait moins souffert de la grave maltraitance de sa mère. Il n'y a donc pas d'« événement en soi » puisqu'un morceau de réel peut prendre une valeur saillante dans un contexte et banale dans un autre.

Dans une situation d'isolement sensoriel, toutes les perceptions sont modifiées. Quand on va dans la cuisine chercher un verre d'eau, il arrive qu'on perçoive une serpillière sans en être bouleversé. Mais quand seul en prison, isolé depuis plusieurs mois on voit la même serpillière, ça devient un événement : « Je somnolais, l'esprit vide, quand j'ai entendu un bruit derrière moi. La serpillière venait de tomber de la grille, souplement comme un chat. Elle était immobile, mais j'avais l'impression que, d'un instant à l'autre, elle allait se ramasser et bondir...

J'ai relevé les yeux et alors je l'ai vue. L'ombre de la serpillière dessinait sur le mur la silhouette d'un pendu... Je ne pouvais en détacher les yeux. Je suis resté tout un après-midi en face de ce fantôme [1]. » Dans un contexte socialisé, une serpillière ne donne pas de souvenir, alors que, dans un contexte de privation sensorielle, la même serpillière dessinant sur le mur l'ombre d'un pendu devient un événement qui jalonne l'histoire.

C'est pourquoi la restriction affective constitue une situation de privation sensorielle grave, un traumatisme insidieux d'autant plus délabrant qu'on a du mal à en prendre conscience, à en faire un événement, un souvenir qu'on pourrait affronter en le retravaillant. Quand on ne fait pas face à une réminiscence elle nous hante, telle une ombre dans notre monde intime, et c'est elle qui nous travaille. L'isolement sensoriel est en soi une privation affective. La personne isolée n'est plus affectée par les mêmes objets saillants, ce qui explique l'étonnante modification d'attachement des carencés affectifs. L'affection est un besoin tellement vital que, lorsqu'on en est privé, on s'attache intensément à tout événement qui fait revenir un brin de vie en nous, à n'importe quel prix : « Être tout seul, la pire souffrance. On souhaite qu'il arrive tout le temps quelque chose, on passe son temps à attendre la " bouffe ", la promenade, l'heure du coucher, que quelqu'un vienne. Le matin, l'auxiliaire, tu es parfois bien content de le voir, même si c'est quelques secondes seulement... La solitude, ça produit de drôles d'effets [2]. »

Dans une telle situation, un indice minuscule remplit une vie vide. Le sujet carencé, affamé de sensorialité, hypersensible au moindre signal perçoit un soupir inattendu, un tout petit sourire, un froncement de sourcils. Dans un contexte sensoriel normal, ces indices ne prennent pas de signification, mais dans un monde de carence affective, ils deviennent un événement majeur. « Surtout ne jamais faire de bruit. Ne pas attirer l'attention sur sa présence [3] », disait le psychiatre Tony Lainé quand il avait dû aider David, enfant enfermé dans un placard pendant que sa mère voyageait. L'attachement ne s'était pas tissé entre la mère et son garçon. Quand elle voyait son fils, elle le maltraitait incroyablement : « Elle m'installait alors, pour des heures, à genoux sur une barre de fer, le nez contre le mur. Ou bien elle m'enfermait dans la salle de bains des journées entières [4]. » Mais un jour, un dimanche, elle est venue le chercher et, événement éclatant, elle l'a emmené en promenade ! Toute sa vie, David se souviendra de ce dimanche lumineux où elle lui a tenu la main. (Qui se rappelle les dimanches où sa mère lui a tenu la main ? Certainement pas ceux à qui elle a tenu la main tous les jours.) La carence affective de David a transformé un geste banal en aventure marquante. Tout enfant correctement aimé ne construit jamais de souvenir sur une telle banalité affective. Ce qui ne veut pas dire qu'il ne la met pas en mémoire. Au contraire même, la banalité affective trace dans son cerveau une sensation de sécurité. Et c'est l'acquisition de cette confiance en soi qui lui apprend la douce hardiesse des conquêtes affectives. Cet enfant a appris, sans le savoir, une manière d'aimer légère. Mais il ne pourra jamais se souvenir de la cause de cet apprentissage.

Certains enfants privés d'affection construisent leur identité narrative autour de ces moments magnifiques où l'on a bien voulu les aimer. Ce qui donne des biographies stupéfiantes où l'enfant abandonné dans un orphelinat, isolé dans une cave, violé, battu et sans cesse humilié devient un adulte résilient qui affirme tranquillement : « J'ai toujours eu beaucoup de chance dans ma vie.» Du fond de sa fange et de son désespoir, il a été avide des quelques moments lumineux où il a reçu un don affectif dont il a fait un souvenir mille fois révisé : « Un dimanche, elle m'a tenu la main...»

## Une ronde enfantine comme une baguette magique

Quand on n'a pas la possibilité de travailler ses souvenirs, c'est l'ombre du passé qui nous travaille. Les carencés, rendus hypersensibles à la moindre information affective, peuvent en faire un événement magnifique ou désespérant selon les rencontres que propose leur milieu.

Bruno avait été abandonné parce qu'il était né hors mariage, ce qui, au Canada il y a quarante ans, était considéré comme un crime majeur. L'enfant isolé n'avait trouvé pour toute « relation » que ses mains qu'il agitait sans cesse et ses propres tournoiements qui créaient en lui une sensation d'événement, un peu de vie quand même. Après plusieurs années d'isolement affectif, il avait été placé dans un *home* suffisamment chaleureux pour faire disparaître ces symptômes. Mais il avait gardé une manière d'aimer apparemment distante et froide qui, elle au moins, ne l'effrayait pas. Cette adaptation sécurisante n'était pas un facteur de résilience puisque en apaisant l'enfant, elle l'empêchait de reprendre son développement affectif. Un soir, à la veillée, une gentille religieuse avait organisé une ronde où, quand le garçon invitait une petite fille, il devait chanter : « C'est à Rosine ma préférence car c'est la plus jolie des deux/Ah ! Ginette, si tu crois qu'je t'aime/Mon p'tit cœur n'est pas fait pour toi/Il est fait pour celle que j'aime/Et qui est plus jolie que toi.» Quand Bruno et un autre garçon furent invités par une fille à tourner au milieu de la grande ronde des autres enfants, il fut comme anesthésié par cet incroyable choix. Mais quand il entendit toute la ronde enfantine reprendre en chœur : « C'est à Bruno la préférence... », il ne perçut plus rien du reste de la chanson, car son monde venait d'éclater, comme une grande lumière, une joie immense, une dilatation qui lui donnait une étonnante sensation de légèreté. Il tourna comme un fou avec la petite fille, puis oubliant de réintégrer la ronde, il courut se cacher sous son lit, incroyablement heureux. On pouvait donc l'aimer !

L'autre petit garçon, un peu désappointé, a boudé trente secondes, le temps de s'apercevoir que d'autres enfants pouvaient, comme lui, ne pas être préférés. Puis il oublia. Ce petit échec ne fut jamais un événement pour lui parce qu'à cause de son passé d'enfant aimé cette ronde n'avait pas été signifiante. Pour Bruno, au contraire, la même ronde avait pris la valeur d'une révélation. Pendant toute son enfance, il y a repensé mille fois et aujourd'hui encore, quarante ans plus tard, il parle en souriant de cet événement majeur qui a transformé sa manière d'aimer.

Nous sommes façonnés par le réel qui nous entoure mais nous n'en prenons pas conscience. L'empreinte du réel se trace dans notre mémoire sans que nous puissions nous en rendre compte, sans faire événement. Nous apprenons à aimer à notre insu, sans même savoir de quelle manière nous aimons. Peut-être Freud voulait-il parler de cette forme de mémoire, agissante et dépourvue de souvenir, quand il évoquait « le roc biologique de l'inconscient [5] » ?

L'événement est une inauguration, comme une naissance à la représentation de soi-même [6]. Pour Bruno, il y aura toujours un avant et un après la ronde. Le manque d'affection l'avait rendu affamé et terrorisé par l'intensité du besoin. Son malheur avait inscrit en lui une trace biologique, une sensibilité préférentielle à ce type d'événement qu'il percevait mieux que tout autre. S'il avait raté cette ronde, il aurait rencontré plus tard une circonstance analogue. Mais si le contexte culturel avait interdit ces rondes ou organisé une société où les enfants nés hors mariage n'auraient pas eu le droit de danser, alors Bruno aurait stabilisé dans sa mémoire ces traces de privation affective. Il les aurait apprises à son insu et son comportement autocentré, apparemment glacé, n'aurait jamais pu être réchauffé par ce type de rencontre. L'événement n'aurait jamais eu lieu.

Aujourd'hui, la scène de la ronde constitue un jalon de l'identité narrative de Bruno : « Il m'est arrivé quelque chose d'étonnant, j'ai été métamorphosé par une ronde. » Mais un cycle de vie, une existence entière ne peuvent pas se clore après le premier chapitre. Alors, en se retournant sur son passé, Bruno va chercher les épisodes qui permettent de poursuivre sa métamorphose et d'y travailler afin d'éclairer la noirceur de sa première enfance : « Je n'en veux pas à ma mère de m'avoir abandonné. C'était l'époque qui voulait ça. Elle a dû beaucoup souffrir, elle aussi.» Le récit de son passé, sa recomposition intentionnelle allège l'ombre qui l'écrasait. L'abandon qui avait imprégné en lui sa triste manière d'aimer est devenu, dans la représentation de soi, un événement, une blessure, un manque qu'il a pu retravailler avec le recul du temps. Car certaines aventures sont des métaphores de soi : « Après cette ronde, j'ai compris comment on pouvait se faire des amis. J'ai eu beaucoup de chance dans ma vie. Sœur Marie des Anges, en m'emmenant passer les tests du quotient intellectuel, m'a soufflé les réponses que je devais donner. Mes résultats ont été bons. On m'a orienté vers un lycée. Aujourd'hui, je suis professeur de lettres.»

### C'est ainsi que les hommes font parler les choses

L'archéologie d'une crypte, l'éclairage d'une zone d'ombre de notre histoire peut même devenir une recherche passionnante quand un mystère est dévoilé et quand notre entourage participe à l'exploration.

Tout traumatisme nous bouscule et nous déroute vers la tragédie. Mais la représentation de l'événement nous donne la possibilité d'en faire le pivot de notre histoire, une sorte d'étoile noire du Berger qui nous indique la direction. Nous ne sommes plus protégés quand notre bulle est déchirée. La blessure est réelle bien sûr, mais son destin n'est pas indépendant de notre volonté puisqu'il nous est possible d'en faire quelque chose.

M. Dom avait 18 ans quand il fut arrêté par la Gestapo parce qu'il militait dans les Jeunesses étudiantes chrétiennes. Déporté à Ravensbrück, il raconte l'effrayante torture que peut infliger un groupe humain hiérarchisé par des rapports de violence. Le jeune homme apprend à fouiller dans la boîte à ordures près de la cabane des SS, ce qui lui permet de survivre jusqu'à la Libération. Il est tellement faible après son rapatriement que sa mère doit le soutenir lorsqu'il se rend à la consultation médicale. En passant près d'une boîte à ordures, le jeune Dom ramasse quelques cerises encore mangeables et les avale. Les passants dégoûtés lui font la morale. On le traite de cochon, on exige un peu de dignité et le jeune homme a bien du mal à comprendre comment un comportement qui lui a permis de survivre à Ravensbrück a pu devenir, en quelques semaines, une source de mépris dans les rues parisiennes. Lentement, il se remet de l'immense trauma, mais jamais il n'osera dire qu'il reste attiré par les boîtes à ordures. L'objet « ordure » imprégné dans sa mémoire est devenu pour lui un signifiant d'espoir. Allez faire comprendre ça à un obsédé de propreté pour qui le même objet signifie la souillure ! Dans les deux cas, l'objet est devenu saillant. Il émerge du monde à cause de la sensibilité préférentielle des deux observateurs. Mais pour l'un, il signifie « espoir de vivre », alors que pour l'autre, il annonce « la mort par pourriture ». C'est ainsi que les hommes font parler les choses, grâce à leur histoire.

Quand le trauma est flagrant, hyperconscient, on souffre du coup, mais on ne sait pas encore quel sens notre histoire et le contexte attribueront à la représentation de ce coup.

Parfois même on souffre sans en prendre conscience. Une carence affective peut constituer un manque sans provoquer de sentiment de perte. Il arrive qu'un enfant apprenne qu'il a perdu sa mère, qu'elle est partie, qu'elle est morte, qu'il ne la reverra jamais. Pour éprouver un tel sentiment, il faut que le développement de son appareil psychique l'ait rendu capable d'une représentation de la mort, ce qui n'arrive graduellement qu'à partir de l'âge de 6 ou 7 ans. Cette représentation de la mort absolue, du vide définitif provoque en lui une angoisse qu'il peut combattre en appelant au secours, en idéalisant la disparue ou en déniant sa mort.

Mais quand l'enfant est trop petit pour avoir accès à une telle représentation, c'est son monde sensoriel qui change de forme. La figure familière n'est plus là, vaguement remplacée par une figure inconnue, une intermittente de l'attachement. Ce changement de monde provoque une adaptation comportementale sans conscience, de la même manière que nous nous adaptons à une privation d'oxygène en accélérant notre respiration sans nous en rendre compte. On peut parler de trauma puisqu'il s'agit d'un coup qui déchire son monde et délabre l'enfant, mais on ne peut pas parler de traumatisme dans la mesure où il ne peut pas encore en faire une représentation élaborable[7]. Ce n'est pas une douleur ni même une perte. C'est une désaffection lente, un malaise qui altère l'enfant d'autant plus insidieusement qu'il ne peut pas maîtriser, combattre ou compenser cette privation affective[8].

À la longue, l'enfant s'adapte à cet appauvrissement sensoriel par un engourdissement de ses perceptions. Il devient de plus en plus difficile à stimuler et, puisque son entourage n'est plus catégorisé en un milieu familier et un autre inconnu, sa vision du monde devient floue. Il a de plus en plus de mal à faire la différence entre ceux qui le stimulent et ceux qui l'angoissent. Cette désaffectivation explique la nécessité d'une affiliation. Quand, autour du petit enfant, les tuteurs sensoriels de développement viennent à manquer, le monde ne se dessine plus. Et quand il n'y a plus de figure saillante ni d'objet historisé, quand une information en vaut une autre, le monde psychique devient flou et la vie mentale ne se structure plus.

C'est ce qui est arrivé à la petite Marilyn Monroe et que n'a pas subi le petit Hans Andersen bien aimé par sa mère, sa grand-mère et sa voisine. On peut imaginer qu'il a beaucoup souffert de la mort de sa mère quand il avait 12 ans, mais son monde intime déjà organisé a su idéaliser cette femme à qui il a pardonné son alcoolisme. Alors que Marilyn n'avait personne à idéaliser ni aucune figure d'attachement à laquelle accorder son pardon. La souffrance du petit Hans a constitué un facteur de résilience plus efficace que la confusion et l'engourdissement de la trop sage Marilyn. Hans a souffert d'une grave perte affective qu'il a pu combattre, alors que Marilyn ne pouvait même pas repérer son mal-être, et personne ne s'en est rendu compte.

Cela permet de comprendre pourquoi les enfants qui se vident de leur vie parce qu'il y a du vide autour d'eux se réaniment souvent en s'infligeant des souffrances. La douleur fait revenir un peu de vie en eux. Ils se tapent la tête par terre quand on leur sourit, ils se mordent quand on leur parle. Plus tard, quand ils seront grands, ils nous provoqueront en nous exposant leurs mutilations. La douleur

les réveille et les contraint au réel, cruel mais tellement
moins angoissant que le vide de leur monde.

La logique consiste à se demander quels effets à long
terme peut avoir la perte précoce d'un ou deux parents. Ce
genre de causalité linéaire est à peu près pertinent pour
étudier la physique des matériaux, mais les causalités psychiques sont incessantes comme une cascade et si nombreuses qu'il vaut mieux formuler la question autrement :
le manque de parents avant l'âge de la parole désertifie
l'alentour sensoriel de l'enfant et, quand il n'y a pas d'analogues parentaux ou de substituts, les dégâts sont
durables. En revanche, si l'on dispose autour du petit
carencé quelques tuteurs de résilience affectifs et sensés, il
reprend rapidement son développement et peut même rat-
traper son retard. Ce qui ne l'empêchera pas plus tard,
quand il arrivera à la parole, de se représenter lui-même
en tant que « celui qui n'a plus de parents ». Alors aux
tuteurs de résilience affectifs devront s'ajouter les tuteurs
verbaux et culturels.

## L'alliance du deuil et de la mélancolie

Il a fallu attendre 1917 pour que Freud, en pleine
guerre, allie le deuil à la mélancolie. Le retrait d'intérêt
pour le monde extérieur, la perte de la capacité d'aimer et
de travailler se retournent en agressivité contre le sujet
lui-même, en autodépréciation, en autopunition [9]. Auparavant bien sûr, la clinique de la tristesse avait été consta-
tée, mais la cause en était attribuée aux substances
humorales, à la bile noire, à la mauvaise humeur. À partir

de la fin du Moyen Âge et de la Renaissance, la démonologie a expliqué cette douleur d'être : « Le diable profite des faiblesses humaines, il se mêle volontiers avec l'humeur mélancolique [10]. » Freud a ouvert une nouvelle piste en expliquant que c'était la perte affective d'un objet réel qui créait ce sentiment de « monde vide et gris ». Alors, des légions de chercheurs se sont engagées sur ce sentier qui s'est rapidement transformé en autoroute menant à la station suivante : « Tout deuil précoce, toute perte affective lors des petites années rend durablement vulnérable et prépare aux dépressions de l'âge adulte [11]. » Les travaux sur la résilience, en observant les difficultés psychologiques pendant les cycles de vie entiers mènent à des résultats différents. Une trentaine d'enfants âgés de 3 à 6 ans ont été suivis après qu'ils eurent perdu un parent dans les six mois précédents. Il fallait simplement répondre à deux questions : y a-t-il une réaction de deuil après la mort d'un parent ? Puis, revoyant l'enfant de manière espacée jusqu'à l'âge adulte, on devait se demander si cette cohorte d'orphelins précoces allait souffrir de plus de troubles psychiques que ceux que l'on constate habituellement dans la population générale. Non seulement les enfants étaient interrogés et testés, mais le parent survivant, la famille et les enseignants étaient aussi examinés [12].

De ce travail énorme est sortie une énorme déception, et c'est ça qui est intéressant. Les troubles apparus immédiatement après le deuil ont été modérés : deux enfants ont manifesté des angoisses, des cauchemars, une hyperactivité, quelques autoaccusations, une autoagression, quelques ralentissements scolaires et replis sur soi. Si la méthode d'observation n'avait porté que sur des enfants sans contexte, les conclusions auraient pu être que le deuil chez un enfant de moins de 6 ans est très différent de celui d'un adulte – ce qui est vrai. Et la deuxième conclusion aurait été que la mort d'un parent n'a pratiquement aucune influence sur le développement d'un enfant – ce qui est faux. Comme cette méthode examinait aussi le contexte, on a pu vérifier que les enfants perturbés étaient ceux dont le parent survivant était le plus troublé et que, dans son manque, l'enfant n'avait pas trouvé de soutien affectif. C'est donc la souffrance du parent survivant qui avait altéré l'enfant.

La relation antérieure du survivant et de l'enfant avec le parent perdu explique aussi la divergence des réactions. Les enfants qui ont acquis un attachement sécure [13] se rapprochent du survivant en voyant son chagrin. Et même après l'adolescence, on peut voir une amélioration affective entre survivants provoquée par la mort d'un parent : « Papa a besoin de moi. Je ne savais pas qu'il aimait maman à ce point. Le chagrin nous a rapprochés. »

Le constat opposé n'est pas rare non plus. La mort d'un parent sépare les survivants, surtout quand il s'agit d'un suicide car la culpabilité envahit les consciences.

En fait, un grand nombre de scénarios affectifs existent qui tous provoquent des réactions différentes. Les enfants dont l'attachement était ambivalent agressent souvent le parent endeuillé parce que sa souffrance aggrave la sienne. Alors que les attachements évitants se protègent de la souffrance en devenant plus distants que jamais.

Finalement, à l'âge adulte, on ne note pas beaucoup plus de troubles dans la population des endeuillés précoces que dans la population générale. Ce qui ne veut absolument pas dire que les enfants n'ont pas souffert ni même qu'ils ont repris leur développement normal. Quand un enfant de 10 ans perd un parent, il a atteint à cet âge un niveau de développement psychique qui le rend capable de se représenter la mort irrévocable. Les « morts précédentes » étaient des jeux de faire semblant de tomber, des mimiques d'immobilité, des gémissements amusants ou des voyages lointains. Entre 6 et 9 ans, « il connaît la réalité matérielle de la mort [14] ». Il perçoit le mort et il éprouve de surcroît le vide provoqué par la représentation d'une perte définitive. La souffrance n'est plus de même nature, il faut d'autres tuteurs, plus sensés et plus sociaux, pour l'aider à poursuivre un développement désormais infléchi par le surgissement de la mort dans son histoire.

Il est donc difficile d'établir une causalité linéaire et de dire : « Les endeuillés précoces auront plus de dépressions que les autres. » Les causes sont incessantes dans une vie d'homme, une cause de bonheur peut succéder à une cause de malheur. L'événement qui provoque une souffrance un jour peut être utilisé pour créer du bonheur un autre jour. Les cascades de causes font converger des forces opposées qui peuvent réparer un enfant ou l'aggraver, le pousser dans un sens ou le freiner. Mais désormais ces tuteurs ne sont plus seulement affectifs. Plus un enfant se développe, plus les « proches s'éloignent », plus les liens se tissent et se diversifient. Après la mère et le père, l'enfant découvre d'autres proches dans la constellation familiale : la fratrie, le voisinage, les animaux familiers, l'école. Plus tard, il ira chercher des liens ailleurs que dans sa famille, dans son groupe social et même encore plus loin.

Tout cela permet de dire qu'après un deuil précoce, si l'alentour se réorganise autour de l'enfant, celui-ci pourra reprendre un développement modifié. Mais s'il n'y a pas d'alentour parce que la famille est altérée ou disparue, parce que la société est détruite ou parce que la croyance culturelle empêche de proposer des tuteurs de résilience, alors là, on peut s'inquiéter.

## Le vide de la perte est-il plus délabrant qu'un entourage destructeur ?

Il est difficile de faire le partage entre la nocivité de l'absence et la toxicité d'un entourage destructeur. Dans les situations de défaillance parentale, toute évaluation est difficile. Quand un couple ne cesse de maltraiter son petit, quand un adulte escroque de la sexualité à un enfant, quand la négligence l'isole dans un placard, les troubles du développement sont si importants qu'il faut séparer l'enfant pour le protéger[15]. Cette décision angoissante pousse les éducateurs à demander des recettes qui les sécurisent. Je n'en connais que deux.

1. La séparation protège l'enfant mais ne soigne pas son traumatisme. Un facteur de protection n'est pas un facteur de résilience qui invite l'enfant à reprendre un type de développement.
2. Quand la séparation isole l'enfant pour le protéger, c'est un traumatisme supplémentaire. L'enfant déjà trau-

matisé par ses parents garde en mémoire le souvenir que ceux qui voulaient le protéger n'ont fait que l'agresser une deuxième fois. Alors il relativise les sévices parentaux de façon à préserver l'image de parents gentils malgré tout, et il surévalue le souvenir de l'agression de ceux qui l'ont protégé. Ce mécanisme de défense, terriblement injuste, est pourtant habituel.

À partir de l'âge de 8 ans, Albert « était enfermé dehors » chaque fois que ses parents partaient en vacances. Ils fermaient la maison, montaient dans leur grosse voiture et laissaient l'enfant seul dehors sans nourriture, sans lit et sans clés, car il aurait sali la maison. Il a fallu plusieurs années à une voisine pour comprendre cette situation invraisemblable et prévenir les services sociaux. L'enfant, qui souffrait du froid, de la faim et de la saleté quand il était dehors, a beaucoup plus souffert de l'isolement dans une institution où personne ne lui adressait la parole. Alors qu'à l'époque où il dormait dehors, il y avait un chien dont il partageait la niche et dont il s'occupait. Ce facteur de protection sociale a donc provoqué un isolement affectif qui a aggravé les troubles du développement d'Albert au point qu'à l'âge de 24 ans, il a envisagé de faire un procès à la gentille voisine. Elle était bouleversée quand elle voyait l'ancien enfant maltraité nettoyer le jardin de ses parents pour tenter de les séduire. Ce n'est pas la maltraitance qui avait rendu ce jeune homme anormalement gentil, c'est la cascade de traumatismes qui avait attribué au jardin une signification relationnelle dont le garçon se servait pour se fabriquer l'image de bons parents : « Ils vont être contents en rentrant, et gentils avec moi. »

On ne peut pas donner de recettes, car les raisonnements linéaires n'ont guère de sens. On ne peut pas dire que la séparation protège l'enfant ni qu'il faut le laisser dans la famille maltraitante puisqu'il désire la séduire. Il faut évaluer le plus grand nombre possible d'éléments de l'histoire de ce garçon et de son contexte afin de découvrir quelle serait la situation résiliente et d'en éviter une autre plus délabrante.

Ce n'est pas toujours l'apparence logique qui protège l'enfant et permet de prédire une reprise du développement. La seule prédiction fiable dans ce domaine, c'est quand on ne fait rien. Ça, on sait que ça donne des altérations « à l'origine de difficultés psychiques majeures, déficience intellectuelle, violence, troubles du comportement, troubles psychiatriques [16] ». Ce n'est pas la pauvreté de ses parents qui altère l'enfant, c'est l'isolement affectif, l'absence de routines. Un enfant laissé seul devient débile parce que tout apprentissage devient angoissant. N'étant pas sécurisé, il n'éprouve pas le plaisir de la découverte. Ne ressentant pas le plaisir de dépendre d'un adulte contre lequel il aime se blottir, il ne peut que s'orienter sur son propre corps, se balancer, sucer son pouce, vocaliser tout seul, se privant ainsi de tuteurs de développement. Le fait même de penser devient angoissant puisque, pour comprendre, il faut créer une représentation nouvelle. Alors, tout changement angoisse l'enfant. Privé de routines affectives il s'empêche de penser pour ne pas trop souffrir. Et quand les défaillances parentales sont précoces et durables, quand, par malheur, ce milieu sans tuteurs est stable, l'enfant fixe dans sa mémoire un type de développement autocentré. Il a ainsi appris un milieu vide, un désert affectif incorporé dans sa mémoire. Les seules informations supportables seront venues de son propre corps.

Dans les situations où l'environnement est vide de tuteurs affectifs, le devenir des enfants est lourdement handicapé : 77 % souffriront d'une déficience intellectuelle grave, 32 % seulement obtiendront un certificat d'aptitude professionnelle [17] et 95 % n'ayant pas eu d'enfance auront peur d'apprendre à devenir parents. Paniqués par l'idée d'avoir un enfant, ils feront tout pour l'éviter, puis ils en souffriront. Quand ils parviennent à devenir parents, ça les angoisse tellement qu'ils angoissent l'enfant. On peut prévoir une telle catastrophe évolutive quand on ne fait rien, quand les stéréotypes culturels stigmatisent ces enfants, quand on dit qu'ils sont monstrueux, foutus, débiles à vie, graines de délinquance, quand l'État ne construit pas d'institution dynamisante, quand les familles épuisées ou malformées empêchent le tissage de tout lien affectif ou quand les adultes responsables, ne croyant pas à la possibilité de récupérer ces enfants, ne disposent autour d'eux aucun tuteur de résilience.

## Une braise de résilience peut reprendre vie quand on souffle dessus

J'ai eu l'occasion de voir revenir à la vie certains enfants gravement altérés. Je pense à cette grand-mère géniale et édentée, très pauvre, mais riche en affection, qui avait bien voulu recueillir trois sales gosses d'un orphelinat de Timisoara parce qu'elle pensait que vivre seule était vraiment trop difficile. Un an plus tard, les trois garçons étaient métamorphosés. Responsables de la grand-mère, ils avaient retapé la maison, planté un jardin et construit une porcherie. Ils lavaient le linge, faisaient la vaisselle et entouraient la vieille dame, qui disait dans un sourire sans dents qu'elle regrettait le temps où elle pouvait travailler. Se sentant responsables de cette dame vulnérable, les garçons avaient restauré la maison, l'étable et l'estime d'eux-mêmes. La maison arrangée et la grand-mère heureuse devenaient la preuve de leur compétence et de leur générosité.

Une petite population d'enfants abandonnés a été suivie dans un orphelinat de Vidra, en Roumanie [18]. Dès qu'ils ont baigné dans un milieu affectif structuré par les interactions routinières, la plupart ont repris leur développement. Leurs habiletés motrices se sont améliorées, leur retard de langage a été rattrapé, et même leurs difficultés relationnelles se sont estompées. Les enfants ont progressivement appris à soutenir le regard, à répondre par des sourires et à chercher l'affection dont ils avaient besoin. Tous les enfants n'ont pas récupéré de la même manière, les différences individuelles ont été grandes. Certains ont rattrapé leur retard de langage en quelques mois, d'autres ont « préféré » gagner d'abord taille et poids, certains ont beaucoup souri, d'autres sont passés par une période d'hyperactivité, et un petit nombre n'a rien récupéré [19].

Ces nombreux exemples prouvent que c'est notre culture scientifique qui morcelle le savoir pour mieux le maîtriser. Un enfant réel n'est pas fragmentable, c'est un être total dont l'amélioration corporelle s'associe au progrès du langage et dont l'intelligence s'allie à l'affectivité.

On peut « remettre en cause l'idée si répandue que l'expérience précoce a un effet disproportionné sur le développement ultérieur [20] ». L'enfant apprend son milieu, il l'incorpore dans sa mémoire des premiers mois et dans ses développements. Quand la bulle sensorielle fournie par l'entourage familial est bien structurée par des routines affectives et comportementales, l'enfant se développe le long de ces structures sensorielles. Quand ces routines ne se mettent pas en place au cours des premiers mois, l'enfant ne peut pas s'organiser et ne peut rien développer. Il faut donc intentionnellement les disposer plus tard autour de l'enfant, désorganisé par la désorganisation de son milieu, pour observer une reprise de développement. Chaque enfant répond à sa manière mais, quand la privation a duré trop longtemps, quand l'extinction psychique a été totale ou quand le nouveau milieu n'a pas soufflé sur les braises de résilience, le petit aura du mal à reprendre vie.

## Comment amener un enfant maltraité à répéter la maltraitance

Une telle observation clinique rend impossible la stéréotypie : « Puisqu'il a été maltraité au cours de sa petite enfance, il a appris que la violence est un mode normal de résolution des problèmes, il répétera donc la maltraitance. » Il faut reconnaître que les enfants maltraités alternent souvent des comportements de vigilance glacée avec des explosions de violence contre leurs proches. Toujours sur le qui-vive, ils sont graves, attentifs au moindre indice comportemental de l'adulte et ils ont une tendance à l'extrémisation [21]. Une crispation des sourcils, une tension vocale, une bouche pincée imperceptible signifieront pour eux qu'il y a du danger. Soudain, la pulsion part en tous sens, contre un autre, contre un objet ou contre lui-même puisque l'enfant n'a pas appris à donner forme à ses émotions.

Ce genre d'apprentissage relationnel, d'incorporation d'un style affectif, se fait dès les premiers mois et explique pourquoi dans une population d'enfants maltraités, presque tous ont acquis entre le 12ᵉ et le 18ᵉ mois un attachement insécure, distant, ambivalent ou confus[22]. En grandissant, ces enfants adaptés à un milieu où toute information est une menace parlent peu et n'investissent pas l'école. Ce style affectif, imprégné dans leur mémoire par les habitudes comportementales d'un alentour où l'attachement confus se mêle à la violence, est une adaptation, ce n'est pas un facteur de résilience puisque ces enfants apprennent à ne voir que les menaces du monde et à y répondre[23].

Quand la violence se répète dans des familles closes, les réponses comportementales de l'enfant se fixent et caractérisent son style... tant qu'on n'ouvre pas le système.

Je garde le souvenir terrifiant d'enfants au crâne rasé, immobiles et muets derrière les grilles de la somptueuse institution où ils étaient enfermés. Après avoir été maltraités par leurs parents, ils l'étaient par la société qui les avait séparés pour les protéger, puis isolés dans un château avec un grand parc où personne ne venait les voir. Habitués à ne recevoir que des menaces, ils répondaient aux ordres simples par des tentatives d'agression contre les adultes. La relation était complètement pervertie puisque les adultes se sentant à leur tour menacés par les enfants, alternaient, comme eux, la vigilance glacée et les explosions de colère.

Certains travaux observent que 100 % des enfants maltraités deviennent violents alors que d'autres n'en trouvent « que » 70 %[24]. Dans toute population, 65 % des enfants acquièrent un attachement confiant, une manière d'aimer où, se sentant aimables, ils osent charmer l'inconnu. Dans certaines populations d'enfants maltraités, aucun n'a acquis ce comportement (0 %)! La différence est fabuleuse. Tous ces travaux scientifiques permettent donc d'évaluer l'idée suivante : maltraiter un enfant ne le rend pas heureux! Après cette bouleversante découverte chiffrée, on peut se demander si ce qui explique une telle variation de chiffres n'est pas attribuable aux variations de milieu.

Deux repères permettent d'illustrer à quel point cette violence apprise dépend du milieu bien plus que de l'enfant. Si on le change de milieu, l'enfant change d'acquisitions. Non seulement les enfants violentés ou négligés[25] sont altérés par un nombre élevé de lésions cérébrales plus ou moins graves, mais ils ont aussi plus d'accidents que la population générale. On ne peut pas en conclure qu'ils ont acquis la molécule de la violence qui pousse à l'accident, mais quand on associe l'observation clinique aux études scientifiques, on comprend que ces enfants malheureux dont le monde mental est envahi par des images de souffrance sont en quelque sorte coupés du réel qu'ils analysent mal. Alors, quand une situation difficile surgit, ils la traitent confusément ou s'y abandonnent dans un laisser-aller d'équivalent suicidaire.

## Le triste bonheur d'Estelle était quand même un progrès

Le quotient intellectuel permet de chiffrer non pas l'intelligence d'un enfant mais sa vitesse de développement intellectuel dans un milieu donné [26]. Ce test offre un repère d'adaptation intellectuelle dans une culture où l'école joue un rôle important. Certains chercheurs ont divinisé le QI pour en faire une hiérarchie intellectuelle, ce qui explique que d'autres l'aient combattu pour le disqualifier dans un combat d'idées plus idéologique que scientifique.

La pensée fixiste fige les données. Mais quand on observe longtemps ces enfants, on constate que ceux qui se laissaient aller à l'accident ne le laissent plus venir dès qu'ils se sentent aimés. Quant au quotient qui reflète la vivacité intellectuelle comme le ferait un flash, vrai aujourd'hui mais faux demain, il révèle que l'éveil de l'enfant grimpe en flèche dès que le milieu attribue à la connaissance une valeur relationnelle. On joue à parler pour échanger des affects, on apprend à lire avec quelqu'un qu'on aime, on acquiert des connaissances pour partager des mondes abstraits. Le chiffre du quotient intellectuel est intersubjectif, c'est une rencontre affective qui varie beaucoup selon le milieu dans lequel baigne l'enfant [27].

C'est pourquoi le quotient intellectuel reste un indicateur de résilience, à condition de ne pas en faire une récupération idéologique, comme si l'intelligence était une qualité cérébrale ou la caractéristique d'un groupe social. L'intelligence de l'enfant résilient est avant tout relationnelle. S'il n'y a pas d'humanité autour de lui, pour qui voulez-vous qu'il fasse l'effort de comprendre ? Il ne cherchera à résoudre que les problèmes immédiats. En revanche, dès que quelqu'un veut bien l'aimer, l'enfant blessé désire tellement établir avec lui une relation affective qu'il se soumettra à ses croyances uniquement pour avoir quelques idées à partager avec lui. J'en connais des enfants abandonnés qui ont épousé les idéologies des adultes, juste pour leur faire plaisir, pour exister dans leur esprit ! Ces enfants s'engageaient dans des métiers qui ne leur plaisaient pas, simplement pour avoir l'occasion d'en parler de temps en temps avec l'éducateur qui voulait bien les aimer.

Le père d'Estelle ne parlait jamais. Il restait muré dans sa douleur d'avoir été chassé d'Algérie. Cela faisait une forte impression de voir cet homme, énorme, sombre et dur, qui explosait pour des futilités. Toute la famille habitait une maisonnette en pleine forêt où les arbres eux-mêmes participaient à l'enfermement. La mère apeurée se taisait, elle aussi. « Ma mère est grise », disait Estelle. Dans ce tombeau forestier, les seuls moments de gaieté étaient apportés par les deux frères aînés. C'est pourquoi Estelle n'a pas tout de suite compris, la nuit où ils sont entrés dans son lit. La grande fille, par la suite, a connu quelques années de confinement affectif et sexuel dans ce qu'il est difficile d'appeler une famille.

Quand le père est mort, les deux frères avaient acquis un métier honorable. Estelle a trouvé intolérable de rester seule avec sa mère, mais elle n'a pas supporté non plus de tenter l'aventure sociale dont elle avait très

peur. Elle a passé quelques années tristes dans un foyer
de banlieue, quelques tentatives de suicide pour tuer
cette vie-là, jusqu'au jour où elle a rencontré un homme
âgé avec qui elle a osé vivre. Estelle s'est sentie mieux en
côtoyant ce monsieur qu'elle n'aimait pas, mais auquel
elle s'attachait parce qu'il la sécurisait. Elle avait besoin
que quelqu'un joue le rôle maternel dont elle n'avait
jamais bénéficié. Autant dire que la sexualité a été
médiocre et que, pourtant, Estelle pardonnait à son
piteux amant tant elle avait besoin de son attachement.
Il était comptable, il lui a payé des études de comptabilité, elle ne rêvait que de littérature. Il l'a beaucoup sou-
tenue. Aujourd'hui, elle fait un métier qu'elle n'aime pas,
en compagnie d'un homme qu'elle n'aime pas : elle va
beaucoup mieux !

Permettre la résilience consiste à proposer un tuteur
de développement à un blessé. Sans cet homme, Estelle
n'aurait connu que la terreur, le confinement sensoriel,
l'inceste des deux frères, la peur des autres. Grâce au
comptable, elle a repris un type de développement forti-
fiant et sécurisant.

On ne peut donc pas dire qu'un trauma provoque un
délabrement caractéristique, comme l'inceste qui mène-
rait à la prostitution ou la maltraitance qui pousserait à la
maltraitance. Ces tendances ne se manifestent que
lorsqu'on ne fait rien pour aider le blessé. L'histoire
d'Estelle permet de penser différemment : un trauma peut
connaître des évolutions, des devenirs différents selon
les possibilités qu'on offre au blessé de tisser des liens
différents [28].

## Résilience des enfants des rues en Suisse au xvi<sup>e</sup> siècle

Maintenant qu'on commence à étudier scientifiquement les histoires de vie, on découvre qu'à toutes les époques un grand nombre de personnes ont dû affronter de telles déchirures. Les blessures traumatiques étaient fréquentes lors des siècles précédents et les récits de ces déchirures permettent de comprendre comment certains ont réussi à se sortir de l'enfer pour mener une vie d'homme, malgré tout. Thomas Platter a été un écolier vagabond au xvi<sup>e</sup> siècle [29]. Il vient au monde près de Zermatt, risque de mourir parce que sa mère ne peut pas l'allaiter. On lui donne du lait de vache qu'il tète pendant cinq ans à travers une corne percée. Son père meurt quand Thomas est encore nourrisson. Sa mère, ruinée, le confie à une sœur fermière qui en fait un valet de ferme dès l'âge de 7 ans. Très faible, l'enfant est bousculé par les chèvres, battu par les gardiens, cassé par des accidents fréquents, ébouillanté une fois, il a les pieds gelés car il n'a pas de sabots pour marcher dans la neige, mais sa grande souffrance, c'est la soif.

Quand on interroge les enfants des rues [30], ils disent à quel point la soif est un souci constant, souvent même une torture. Mais quelques années plus tard, quand on leur demande de faire le récit de leurs moments difficiles, ils choisissent parmi leurs souvenirs de ne raconter que les événements plausibles, oubliant même à quel point ils ont eu soif. Il ne faut pas s'étonner de cet aspect reconstructif de la mémoire qui explique aussi son potentiel thérapeutique. En choisissant des souvenirs logiques et en oubliant les événements non signifiants, ils donnent cohérence à l'image qu'ils se font de leur passé et se sentent mieux identifiés. La soif qui les a torturés pendant une grande partie de leurs journées ne tient aucune place dans leurs souvenirs. En revanche, l'école devient un événement majeur de leurs récits parce qu'elle constitue leurs premiers pas vers la socialisation.

À l'époque de Thomas Platter, les maîtres battaient affreusement les enfants. Ils les soulevaient de terre en les tirant par les oreilles, ils aimaient particulièrement taper sur le bout des doigts où la sensibilité à la douleur est la plus grande. Platter va à l'école le jour et mendie le soir. « J'ai eu maintes fois grand faim et grand froid quand je rôdais jusqu'à minuit, chantant dans les ténèbres pour obtenir le pain [31]. » Souvent, on lui donne du pain rassis dont il racle le moisi. Il mange avec plaisir mais le régal n'est pas physique. Ce n'est pas le pain qui provoque sa jouissance, c'est le fait d'avoir le courage d'avaler un aliment moisi qui fait naître en lui l'espoir d'un peu de vie. La signification du fait provient de son contexte : manger du pain moisi quand on est seul dans la rue donne un peu d'espérance, alors que si Platter avait dû manger le même pain moisi au sein d'une famille riche, il en aurait été mortifié.

Après quelques mois d'école, il vit encore dans la rue où il découvre la valeur protectrice de la bande. Ces « troupes » de huit à neuf enfants âgés de 10 à 15 ans parcouraient à pied des distances extraordinaires. Thomas part de Zurich, arrive à Dresde, séjourne à Munich, retourne à Dresde. Il grandit, voit du pays, apprend les patois des contrées qu'il traverse au point qu'on ne le comprend plus quand il rentre au pays. Ces enfants sont agressés physiquement, exploités, méprisés, régulièrement insultés. Plus ils grandissent, plus ils ont honte d'avoir à mendier.

Près du lac de Constance, Thomas éprouve un véritable coup de foudre en voyant « sur le pont quelques petits paysans suisses avec leurs blancs sarraus : ah ! que je suis heureux, je me crus au paradis [32] ». Il va à l'école, de-ci de-là. À 18 ans, il ne sait pas lire mais il se dit : « Tu vas étudier ou mourir. » Alors il apprend la *latina*, *graeca* et *hebraïca lingua* avec une frénésie d'autodidacte, tout, trop, et en désordre. Il devient cordier, se marie, perd sa femme, se remarie, s'occupe de nombreux enfants et poursuit ses études. Il devient « docte maître », directeur d'une prestigieuse école à Bâle, recteur de l'école de la Cathédrale. Et même, un de ses enfants, Félix Platter, deviendra médecin à la cour d'Henri IV, ami de Montaigne et écrivain célèbre.

Biographie fréquente en Europe à cette époque. Platter n'a pas transmis la maltraitance à ses enfants. Peut-être même leur a-t-il transmis la rage d'apprendre et la fièvre du bonheur ? Bien sûr, ce genre de reconstruction côtoie l'angoisse et l'épuisement, mais qui a dit que la résilience était un chemin facile ?

Ce qui m'étonne, c'est le coup de foudre du petit Thomas en voyant les sarraus blancs des enfants bien élevés. Comme tout paratonnerre, il n'a reçu la foudre que parce qu'il en était un récepteur privilégié. Sensible à ce type d'image, il les percevait mieux que tout autre, il les espérait même. Il s'est senti au paradis en voyant les sarraus blancs alors qu'un autre enfant abandonné aurait pu en éprouver haine ou jalousie. Pourquoi Thomas aspirait-il aux sarraus blancs et à l'école, lui qui mendiait, dormait dehors et était analphabète ?

Probablement parce que toute une partie de sa personnalité avait été façonnée par des événements qui, imprégnés dans sa mémoire, l'avaient rendu sensible à ce type de projet d'existence. Son idéal du moi, ses aspirations et probablement ses rêveries révélaient ce qui pouvait encore le rendre heureux, lui qui n'avait connu qu'une succession incroyable de malheurs.

Dans notre monde moderne, les enfants des rues, dont le nombre s'accroît considérablement [33], connaissent une aventure comparable à celle de Thomas Platter au xvi{{e}} siècle. Avant d'« aller à la rue », ont-ils connu des interactions précoces qui ont provoqué un premier attachement difficile ? Et une fois dans la rue, ont-ils été encore plus agressés que Thomas Platter ?

Tous ceux qui ont travaillé avec les enfants des rues ont constaté leurs maladies physiques, leurs blessures « accidentelles » fréquentes, la difficulté de les approcher et d'établir un lien avec eux. Et pourtant, ce qui nous impressionne, ce sont ces enfants qui malgré les coups du sort et l'horreur du quotidien parviennent à tenir bon et même à s'en sortir. C'est à ceux-là qu'il faut s'intéresser pour comprendre comment ça s'est passé en eux et avec leur entourage, de façon à mieux aider ceux qui ont du mal à se construire.

## Ils se sentaient aimables puisqu'on les avait aimés, ils avaient appris l'espoir

Le xx<sup>e</sup> siècle s'est couvert de honte avec les idéologies meurtrières. Ces opérettes tragiques, toutes plus charmantes les unes que les autres, conduisaient à la mort. Les enfants allemands, adorables blondinets âgés de 8 à 12 ans étaient beaux lorsqu'ils jouaient à la guerre en culottes courtes et calots de marin. Ils sont presque tous morts quelques années plus tard, et ceux qui ont survécu sont devenus tortionnaires pour imposer l'opérette à laquelle ils croyaient. Les enfants soviétiques étaient tellement jolis avec leurs cheveux d'or de petits Ukrainiens, leurs yeux bridés d'Asiatiques, leur teint bronzé de Géorgiens ! Pendant qu'ils agitaient leur mouchoir pour faire une déclaration d'amour au petit père des peuples, la police invisible déportait des dizaines de millions de personnes qui mourraient en secret, en continuant à adhérer au vaudeville qui les tuait.

On peut prédire sans risque d'erreur que le xxi<sup>e</sup> siècle sera celui des déplacements de populations. Quelques pays de plus en plus riches à quelques heures de voyage de pays de plus en plus pauvres, des traditions culturelles oubliées, des groupes constitués d'agglomérats incohérents, des structures familiales fracassées, l'abandon de plus de cent millions d'enfants sur la planète provoqueront à coup sûr des réactions de survie, la fuite dans des pays plus structurés [34].

Que ce soient les enfants suisses du siècle des Platter, les petits Européens mis à la rue après la guerre, ou aujourd'hui les bambins de l'Asie du Sud-Est, tous ceux qui s'en sont sortis ont réalisé un programme commun de la résilience.

Ces enfants, incroyablement sales, blessés, malades, drogués et parfois prostitués, ont tous travaillé à réparer leur estime d'eux-mêmes ! Ceux qui n'y parvenaient pas apprenaient malgré eux la violence et le désespoir. Mais ceux qui parvenaient à mettre en chantier un travail de résilience sont ceux qui avant d'être mis à la rue avaient appris l'espoir. Au cours de leurs interactions précoces, une trace s'était imprégnée dans leur mémoire : le sentiment d'avoir déjà été secourus quand ils étaient tout petits dans l'épreuve. Ils n'avaient pas de souvenirs réels, pas d'images de figure d'attachement qui s'occupait d'eux, pas de rappel de paroles qui leur avait promis de l'aide, pourtant ils se sentaient aimables puisqu'on les avait aimés, ils espéraient donc qu'on les aiderait. C'est dans les premiers mois que cet attachement sécure est le plus facile à imprégner, mais l'acquisition de ce sentiment et de ce style relationnel est une facilitation, ce n'est pas une fatalité. Ce qui n'est pas mis en place au moment où c'est facile pourra se travailler plus tard, mais plus lentement.

L'espoir appris, imprégné dans leur mémoire comme une trace sans représentation crée en eux une aptitude à rêver l'avenir : « Je suis malheureux aujourd'hui, le réel est désolant, mais puisqu'on m'a déjà aimé, je vais donc être aimé. Que dois-je faire pour rencontrer la personne qui voudra bien m'aider ? » D'habitude, les rêves font revenir les traces du passé, mais, dans l'espoir appris, les rêves d'anticipation sont des constructions imaginées de nos désirs. On peut rêver pour se protéger ou rêver pour s'imaginer. Le refuge dans la rêverie n'est pas toujours une rêverie active. C'est un baume quand le réel est douloureux, alors que la rêverie active est un échantillon de la manière de se rendre heureux. C'est une activité créatrice qui cheville l'espoir dans un monde désespéré. Bien sûr, le bonheur est joué virtuellement dans un scénario d'images, mais cette scène fantasmée donne forme à l'espoir. Sans ce type d'imaginaire, les enfants blessés resteraient collés au présent, englués dans la perception des choses. C'est ce qui se passe quand les enfants sont agités parce qu'on ne les fait pas rêver ou quand les consommateurs sont soumis aux plaisirs immédiats.

C'est pourquoi les résilients des rues rêvent leur avenir dans un contexte désolé où ils devraient logiquement se désespérer. Ceux qui s'adaptent trop à ce réel terrifiant se contentent de répondre au présent. Ils deviennent voleurs pour survivre, se droguent pour s'apaiser et se prostituent pour faire de bonnes affaires. Mais ceux qui ont appris l'espoir projettent sur la scène de leur théâtre intime un rêve idéal où ils se donnent un rôle d'enfant aimé, de héros prestigieux ou d'adulte au bonheur simple.

Ce travail imaginaire les sauve de l'horreur en les libérant du contexte et les invite au boulot en leur proposant un idéal de soi à réaliser. Ce qui est remarquable, c'est que l'enclenchement de la résilience, son émergence même jaillit dans l'imaginaire. Soigner ces enfants, les nourrir, les laver est une nécessité physique bien sûr, mais ne déclenche pas un processus de résilience. De même que ce qui fait le traumatisme nécessite un coup dans le réel suivi de la représentation de ce coup, on peut dire que ce qui fera la résilience nécessite une réparation du coup réel, suivie d'une réparation de la représentation de ce coup. Un enfant lavé, nourri, pansé, ira mieux dans l'immédiat, il faut le faire bien sûr, mais si ce pansement n'est pas sensé, imprégné de signification et de direction, l'enfant retournera à la rue. Il faudra tout recommencer, en le culpabilisant cette fois-ci, « après tout ce qu'on a fait pour lui ».

## Donner aux enfants le droit de donner

Errer sans but et sans rêverie nous soumet à l'immédiat. En revanche, si l'on donne à l'enfant l'occasion de se faire une représentation de ce qui s'est passé, on pourra déclencher un processus de résilience. Il faut d'abord le détacher de l'urgence afin de l'aider à éprouver la représentation qu'on va élaborer avec lui. C'est surprenant de voir un adulte organiser un café-philo avec des enfants des rues ! Un observateur naïf risque même de s'en indigner : « Ils sont malades, seuls au monde, sans école et sans protection et on leur parle de Platon ou du détachement confucéen ! » En évoquant avec eux ces penseurs abstraits, on invite les enfants à la transcendance, on leur propose de conquérir un autre monde que celui qu'ils ont à affronter et, si l'échange intellectuel se passe à l'intérieur d'un lien amical, on peut assister à une métamorphose.

Rafaël était parfaitement adapté à la rue. Il savait voler un sac sans se faire attraper, laver les voitures arrêtées aux feux rouges, mendier, se droguer un peu, vendre des cigarettes et se vendre parfois. Il survivait sans trop souffrir et ne se rendait pas compte qu'il évoluait ainsi vers la désocialisation. Cornelio, malgré ses deux mètres de haut, ne faisait pas peur aux enfants. Il s'asseyait sur un petit mur de pierre et entreprenait avec les petits une discussion philosophique. Une réflexion banale les aurait effrayés. Ils étaient trop habitués aux remarques moralisatrices cinglantes. Un discours sur le thème « Est-on libre dans la rue ? » avait provoqué des éclats de rire, de colère et beaucoup d'étonnement. Le petit Rafaël en était sorti bouleversé : on pouvait donc vivre autrement ! Quelque temps plus tard, la police l'a attrapé et ce jour-là, Rafaël n'a pas réagi comme d'habitude. Au lieu de jouer au dur, il s'est approché du policier et lui a dit : « Giflez-moi, s'il vous plaît. » Le policier, désemparé, a senti son agressivité s'éteindre et l'envie lui a pris de bavarder avec Rafaël au lieu de le questionner durement. Ils ont échangé des points de vue sur la famille, la méchanceté des adultes et le plaisir de l'école. L'enfant n'avait pas du tout envie d'être giflé. Mais il savait qu'en disant cette phrase, il allait désarmer le policier. L'empathie, cette aptitude à se mettre à la place de l'autre, est certainement un facteur essentiel de la résilience. Se mettre à la place de l'autre permet de le calmer, éventuellement de l'aider ou de lui faire plaisir en offrant un spectacle. Tiens ! pourquoi dit-on « offrir » un spectacle ? Donne-t-on quelque chose à l'autre en se mettant en scène ? Serait-ce un moyen de rétablir l'égalité quand on a été dominé ? En partageant son monde intime, deviendrait-on normal ?

De toute façon, un jour ou l'autre, un trauma se transforme en souvenir [35]. Alors, pourrait-on ne rien en faire ? Si on le fait revenir sans cesse, si on le rumine, on ne pourra que l'amplifier et se rendre prisonnier du passé. Mais si on en fait un spectacle, une réflexion, une relation, un éclat de rire même, on devient celui qui donne et répare ainsi l'estime de soi blessée. Il faudra que je vérifie, mais je crois bien que, dans les nécessaires droits de l'enfant, on a oublié de donner aux gamins le droit de donner. Par bonheur, ce droit, les enfants résilients le prennent et c'est ainsi qu'ils transforment le souvenir de leur trauma en outil relationnel.

Pourquoi les enfants de 4 ans ont-ils tant de plaisir à donner aux adultes les dessins qu'ils viennent de faire ? D'une part, parce qu'ils établissent ainsi une relation affective et d'autre part, parce que c'est avec un objet qui vient du plus profond d'eux-mêmes qu'ils se font aimer et rendent heureux ceux qu'ils aiment. En donnant, l'enfant se sent grand, bon, fort et généreux. Son estime de soi, grandie par le cadeau, provoque un sentiment de bien-être et tisse un nœud du lien. Ce droit de donner, presque tous les enfants des rues l'ont découvert. Il serait plus juste de dire que les enfants qui, plus tard, sont devenus résilients, ont été ceux qui, au moment du plus grand désespoir, s'étaient donné le droit de donner. Avec l'argent gagné en mendiant, en surveillant les voitures ou avec leurs petits commerces, ils ont acheté des aliments ou des médicaments pour les plus faibles d'entre eux [36]. Beaucoup d'enfants des rues rapportent un peu d'argent à leur mère isolée et certains même se payent leur école ! Être adulte, quand on est âgé de 8 ans et qu'on se débat pour survivre, donne un étonnant sentiment de force tranquille, même s'il s'agit d'un développement un peu bizarre pour un enfant.

## On ne peut parler de traumatisme que s'il y a eu une agonie psychique

En Occident, un enfant sur quatre aura connu, avant l'âge de 10 ans, la terrible expérience de la déchirure traumatique. À la fin de son existence, un adulte sur deux aura subi cette brisure et finira sa vie cassé par le traumatisme... ou l'ayant transformé [37]. On peut faire l'hypothèse que, dans des contrées où la sociabilité est moins stable, le nombre de blessés est encore plus élevé.

Au XIX$^e$ siècle, les remaniements sociaux, bouillonnants à cause de la culture industrielle, ont dû provoquer un grand nombre de traumas. Les campagnes, plus stables, étayaient mieux leurs habitants. L'immigration de l'intérieur déracinait des Bretons, des Morvandiaux ou des Picards qui, pour survivre, acceptaient de tenter l'aventure industrielle à un prix humain exorbitant. J'ai connu des hommes qui sont arrivés à la gare Montparnasse avec assez d'argent pour tenir quarante-huit heures. Ils ne parlaient pas le français et connaissaient mal les rituels. Quelques petits garçons se faufilaient dans les boyaux des mines dès l'âge de 12 ans et des petits ramoneurs savoyards étaient descendus par des cordes à l'intérieur des cheminées, tandis que les fillettes domestiquées étaient parfois bien accueillies mais, parfois aussi, bien tourmentées. Cette immense épreuve n'était pas un traumatisme, dans la mesure où ces hommes et ces enfants gardaient leur dignité et se sentaient acceptés à condition d'être durs au mal, d'apprendre la langue et les mœurs du « pays » d'accueil. Ils étaient étayés par des groupes hospitaliers qui inventaient des rituels, le bal du samedi soir et le football du dimanche. Les récits et les chansons populaires qui décrivaient leurs épreuves racontaient l'histoire morale d'un enfant de bonne qualité dormant dans la rue, exploité par les voleurs, mais finalement devenant quand même heureux en intégrant leur groupe social. Les souffrances étaient grandes, mais il n'y avait pas de déchirure. Ces hommes et ces femmes gardaient leur personnalité dans des circonstances très dures dont les récits sociaux faisaient des histoires édifiantes.

Puisqu'on sait aujourd'hui que notre identité est structurée par les récits intimes et culturels, il serait intéressant de se demander quels sont les événements mis en mémoire qui permettent de construire nos récits de vie. Après une grande épreuve, les modifications émotionnelles sont de règle. On éprouve un soulagement et même une fierté quand on a surmonté la difficulté, alors que la confusion est la règle après un traumatisme. L'hébétude de nos représentations rend le monde incompréhensible parce que l'obnubilation nous fixe sur un détail qui signifie la mort imminente et nous fascine tellement qu'il obscurcit le reste du monde. Dans cette « agonie psychique [38] », il ne reste que quelques flammèches d'existence dont il nous faudra faire des braises de résilience.

## La narration permet de recoudre les morceaux d'un moi déchiré

Pour amorcer un travail de résilience, nous devrons à nouveau éclairer le monde et lui redonner cohérence.

L'outil qui permet ce travail s'appelle « narration ». Bien sûr, on ne peut pas raconter une histoire à partir de rien. Il faut que nous ayons été sensibles à des éclats de réel que nous les ayons mis en souvenir, associés et recomposés dans des enchaînements temporels logiques. Ce travail psychique doit être adressé à quelqu'un qui nous affecte. C'est dire que dans le moindre récit, chaque personnage est coauteur de la narration.

Les enfants adorent le délice des commencements : « Il était une fois... » est un bel événement, une promesse de bonheur, un engagement affectif où celui qui parle prédit des aventures verbales à partager avec celui qui l'écoute. On commence à jouir quand on voit le gâteau, bien avant de le goûter. L'annonce du plaisir est déjà un plaisir. Mais les enfants blessés ne peuvent pas dire : « Il était une fois... » Car partager un malheur, c'est entraîner ceux qu'on aime dans son propre chagrin, comment voulez-vous que ça nous soulage ? Partager un malheur, c'est souffrir une deuxième fois, à moins que... À moins que prendre part au récit d'un désastre ne soit justement pas le partager. Parce que le choix des mots, l'agencement des souvenirs, la recherche esthétique entraînent la maîtrise des émotions et le remaniement de l'image qu'on se fait de ce qui nous est arrivé.

« Avez-vous vu le film *La Vie est belle* ? demande Rémy Puyelo. Le héros est avec son fils dans un camp de concentration. Un soldat demande : " Est-ce que quelqu'un comprend l'allemand ? " Le héros du film qui n'en comprend pas un mot se propose pour traduire. Mais la version qu'il adresse à son fils est transformée en jeu : il met en place une narration antitraumatique grâce à un clivage[39]. » L'enfant aurait été hébété par le discours incompréhensible ou terrifiant du soldat, alors qu'il était protégé et même dynamisé par le « jeu de la traduction ». Si son père avait traduit le réel, il aurait transmis le trauma, alors qu'en jouant à la traduction, il l'a déjoué. Le mot « clivage » désigne bien ce procédé narratif qui, sous l'effet d'une menace, consiste à diviser le discours en deux parties qui se méconnaissent. L'une est confuse, comme la partie agonisante du psychisme, tandis que l'autre, encore vivante, devient source de lumière et même de gaieté. Quand le récit du trauma prend cette forme il peut soigner puisqu'il permet de demeurer dans le monde des humains, de conserver avec les autres une passerelle verbale et de renforcer ce fil affectif ténu. Le blessé qui parle ainsi s'affirme et prend sa place. Dès l'instant où il entreprend un travail de récit partagé, il rompt la fascination pour la bête immonde qui le médusait et l'entraînait vers la mort, il souffle sur la braise de résilience que constitue la partie encore vivante de sa personne.

On peut ainsi dresser une typologie de la narration traumatique. Ceux qui, fascinés par l'objet qui les menace, en restent prisonniers, passent leur temps à répéter le même récit et à décrire la même image. À l'inverse, ceux qui expriment un récit clivé témoignent de l'enclenchement d'un processus de résilience : « Si je raconte la partie escarrifiée de moi, je vais entraîner ceux que j'aime dans la mort. Ils vont me rejeter ou, pire encore, ils vont plonger avec moi. Alors, pour me sauver et les préserver, je ne vais raconter que la partie supportable, encore vivante en moi. Petit à petit, la passerelle intersubjective se construira. À force de mettre en mots ce qui m'est arrivé, je vais lentement éclairer la partie confuse de ma person-nalité et cette musculation verbale va me " narcissiser [40] ". Petit à petit, je vais redevenir entier. »

Nous sommes tous coauteurs du discours intime des blessés de l'âme. Quand nous les faisons taire, nous les laissons agoniser dans la partie escarrifiée de leur moi, mais quand nous les écoutons comme si nous recevions une révélation, nous risquons de transformer leur récit en mythe. Après tout, ces survivants sont des revenants. Puisqu'ils ont agonisé, ils ont connu la mort, ils l'ont côtoyée et lui ont échappé. Ils nous impressionnent comme des initiés et nous angoissent comme des reve-nants. D'ailleurs, ils avouent eux-mêmes être revenus de l'enfer. En les vénérant, en les approuvant sans discerne-ment, nous entravons le travail psychique de leur parole puisque leur discours devient alors un récit embléma-tique, plaqué, anecdotique, empêchant la pensée, proche des stéréotypes qui pétrifient le vrai.

C'est ce qu'on voit aujourd'hui avec l'affaiblissement des mots « génocide » ou « crime contre l'humanité ». L'expression « c'est d'une violence extrême » (ou le slogan « CRS-SS ») banalise le traumatisme et fait taire le blessé quand elle désigne une simple bousculade. L'acceptation passive d'un récit traumatique empêche le travail inter-subjectif. L'éclopé de la vie comprend que l'autre pense que son trauma n'est qu'un simple chahut, alors, devant l'immensité du travail à accomplir, il baisse les bras et préfère se taire.

L'auditeur lui aussi est mal à l'aise puisqu'il ne peut ni exprimer son dégoût de la plaie ni hystériser sa gourman-dise de l'horreur. Il bâille quand l'autre dit sa souffrance, il relativise l'atrocité du crime.

Il n'y a qu'une seule solution pour soigner un traumatisé et apaiser son entourage : comprendre. Tout de suite après un accident, une simple présence ou l'acte de parler peuvent suffire à sécuriser. Ce n'est que plus tard que le travail du récit donnera cohérence à l'événement. Les enfants qui sont parvenus à devenir des adultes résilients sont ceux qu'on a aidés à donner sens à leurs blessures. Le travail de résilience a consisté à se souvenir des chocs pour en faire une représentation d'images, d'actions et de mots, afin d'interpréter la déchirure.

## Empreinte du réel et quête de souvenirs

Contrairement à ce que l'on pense, les tout petits ont des souvenirs précis de leurs expériences. Mais comme il est impossible de tout se rappeler, ils ne mettent en image que ce qui les a impressionnés. Pour un petit Parisien âgé de 3 ans, la guerre en Afghanistan ou la victoire des handballeurs au championnat du monde ne donnera pas de souvenirs, alors que la routine qui consiste à faire une prière avant de se coucher ou à rendre visite à la grand-mère chaque dimanche stabilise son monde mental et le met en attente de la prière ou de la visite suivante. Si bien que, le jour où la victoire des handballeurs bouleversera les parents au point d'oublier la prière du soir, c'est cette rupture de routine qui va créer un sentiment d'événement et c'est l'émotion qui permettra la mise en souvenir de cette soirée-là. La mémoire des enfants de 3 ans est aussi bien organisée que celle des grands de 10-12 ans, mais les routines et les événements saillants ne sont pas les mêmes. Un enfant de 8 ans raconte avec précision le souvenir de son premier voyage en avion quand il avait 3 ans, à condition que les parents en aient fait une émotion éveillante. Même un enfant de 2 ans peut reconnaître le jeu qu'il a fait un an auparavant et qui a provoqué de forts éclats de rire. Les adultes oublient à quel point leur mémoire enfantine était fiable. Bien sûr, elle se schématise avec le temps et surtout avec les révisions, elle se désaffective : on se rappelle l'image de l'événement comme une histoire mimée en oubliant lentement l'émotion associée qui pourtant avait créé la sensation de saillance.

Les enfants traumatisés avant la parole, maltraités ou abandonnés ont tous acquis un trouble de l'émotionalité : ils sursautent au moindre bruit, ils expriment leur détresse à la moindre séparation, ils sont effrayés par toute nouveauté et cherchent à se glacer pour moins souffrir. Les modifications cérébrales, tracées par le trauma, empêchent la maîtrise émotionnelle et rendent l'enfant facilement confus. À ce niveau de son développement, tout événement émotionnant provoque un chaos sensoriel qui explique que l'enfant perçoive préférentiellement tout ce qui, pour lui, évoque une agression : parler à voix haute ou s'affirmer un peu trop. L'enfant s'adapte à la vision du monde qui a été imprégnée dans sa mémoire biologique et c'est à elle qu'il répond. Il réagit agressivement parce qu'il a été rendu craintif, ou bien fuit dans une sorte de « sauve-qui-peut » hyperactif.

La stratégie de résilience consisterait à apprendre à exprimer autrement son émotionalité. L'action coordonnée, l'expression comportementale, imagée ou verbale, de son monde intime entraînent à redevenir maître de ses émotions.

La vie psychique après le trauma sera donc remplie par les bribes de souvenirs avec lesquelles il faudra reconstruire notre passé, mais aussi avec une hypersensibilité acquise à un type de monde qui désormais thématisera notre vie. Avec quelles briques extraites du réel va-t-on construire notre imaginaire? Avec quels événements va-t-on constituer nos souvenirs? Avec quels mots va-t-on essayer de reprendre place dans le monde des hommes?

Un enfant agressé à l'époque préverbale ne pourra donc pas faire le même travail psychique qu'un enfant traumatisé à un moment où il peut effectuer un remaniement parolier. Quand la déchirure est survenue avant l'apparition de la parole, c'est l'alentour qu'il faudra réparer pour recoudre l'enfant. Alors que si un enfant est blessé après la parole, c'est surtout sur la représentation de ce qui lui est arrivé qu'il faudra travailler.

Chaque souvenir fait de nous un être nouveau puisque chaque événement, choisi pour faire une brique de mémoire, modifie la représentation qu'on se fait de nous-mêmes. Cette édification est porteuse d'espoir parce que les souvenirs évoluent avec le temps et avec les récits. Mais le monde intime du traumatisé dépend aussi du monde intime de la personne à qui il se confie et de la charge affective que le discours social attribue à l'événement traumatisant. Ce qui veut dire que la manière dont tout le monde parle du trauma participe au traumatisme, le panse ou l'ulcère. Absolument tout le monde. Une femme me disait sa mortification quand elle avait entendu son voisin d'autobus raconter en riant : « Il est impossible de violer une femme parce qu'on court plus vite avec les jupes relevées qu'avec le pantalon baissé. » Cette blague signifiait-elle qu'on allait sourire si elle racontait l'histoire de son viol ? Il ne lui restait qu'à se taire. Toute parole prétend mettre en lumière un morceau de réel. Mais, ce faisant, elle transforme l'événement puisqu'elle vise à rendre clair quelque chose qui, sans elle, demeurerait dans l'ordre du confus ou de la perception sans représentation. Dire ce qui s'est passé c'est déjà l'interpréter, c'est attribuer une signification au monde bouleversé, à un désordre qu'on comprend mal et auquel on ne peut plus répondre. Il faut parler pour remettre en ordre, mais en parlant on interprète l'événement, ce qui peut lui donner mille directions différentes.

Aux souvenirs d'images étonnamment précis mais entourés de brume s'ajoute une autre source de mémoire, celle des scénarios de souvenirs induits par la parole. Les souvenirs d'images de nos enfants apparaissent avant même qu'ils soient capables de parler. Ils sont d'une précision supérieure à celle des adultes, mais expriment le point de vue de l'enfant. Chacun observant le monde depuis l'endroit où il se situe ne perçoit pas les mêmes images, or toutes sont vraies. Ces schémas restent gravés dans la mémoire de l'enfant, mais quand le récit est partagé avec un adulte, l'émotion associée à la représentation dépend de la manière dont on en parle avec cet adulte [41].

Jouons aux « pirates » avec deux groupes d'enfants âgés de 5 ans. Par décision expérimentale on joue avec un groupe auquel on ne donne que des explications froides : « On va passer derrière le fauteuil », « on va lever la main

qui tient le sabre », « on va ouvrir cette boîte.
» Avec l'autre groupe, en revanche, les commentaires sont chargés d'émotion : « Je prends ma lourde épée », « j'attaque les méchants pirates », « qu'est-ce que je vois ? Un coffre mystérieux », « oh ! les belles pierres précieuses ! Quelles magnifiques couleurs... l'or... le rouge des rubis... le vert des émeraudes... ». Quelques mois plus tard, on retrouve les deux groupes d'enfants et on leur demande de rejouer le scénario inventé la première fois : seul le groupe qui a baigné dans un discours chargé d'émotion a retrouvé de nombreux souvenirs, alors que celui à qui on avait simplement expliqué le jeu n'a retrouvé que quelques schémas comportementaux [42].

Dans les deux cas, les souvenirs sont là, mais la manière dont ils vivent est divergente. Les souvenirs de ce jeu vont désormais constituer une brique d'identité de chaque enfant, mais ils seront différents selon la manière dont l'entourage en aura parlé. Cet emmagasinement des souvenirs explique probablement pourquoi des traumas constituent des souvenirs lumineux pour certains alors que d'autres restent embrumés.

## Quand un souvenir d'image est précis, la manière d'en parler dépend de l'alentour

Si le souvenir du trauma est clair, c'est que l'événement a été saillant et que l'entourage en a parlé clairement. Quand un choc provoque l'effraction dont parlait Freud, le monde intime est bouleversé au point de perdre ses repères. Le rapatriement des 500 000 soldats américains du Viêt-nam s'est très mal passé. Non seulement la guerre a constitué une immense épreuve, mais en plus les combats n'avaient aucun sens pour la plupart de ces jeunes hommes qui se demandaient ce qu'ils faisaient là. Après la prise de Saigon par le Viêt-công, la retraite a été désordonnée, pleine de cris, d'insultes et d'injustices. Mais surtout, le retour a constitué une épreuve supplémentaire pour ces hommes épuisés qui avaient connu l'horreur insensée. Ils se sont sentis déchus par le pays qu'ils croyaient défendre. Les « vétérans » n'ont pas été accueillis en héros. Au contraire même, ils ont subi des récits accusateurs qui faisaient d'eux des criminels honteux. Tout était réuni pour que l'image des événements gravés dans leur mémoire devienne un traumatisme. « D'après les statistiques officielles, le nombre de morts violentes (suicides et homicides) parmi les vétérans américains a été plus important que pendant le conflit [43]. »

Quand le trauma est chronique, l'événement est moins saillant puisqu'il est engourdi par la quotidienneté. Et quand l'agressé, pour se sentir mieux, a besoin de réparer l'image de l'agresseur auquel il est lié, sa mémoire change de connotation affective. Beaucoup d'enfants maltraités gardent une hypermémoire de certaines scènes de violence, mais d'autres soutiennent qu'ils n'ont jamais été maltraités, à la stupéfaction des témoins.

Il ne se passait pas un seul jour sans que Sylvain ne soit battu. Sa belle-mère dépensait beaucoup d'argent en martinets, ceinturons et balais cassés sur la tête de l'enfant. Quand elle donnait des coups de poing, ça lui faisait trop mal à la main, alors elle était bien obligée d'acheter des instruments. Le petit orphelin se sentait en trop dans cette famille. On lui faisait sentir qu'il coûtait cher en nourriture, que son lit de camp prenait trop de place dans le placard où il dormait parmi les vêtements suspendus, qu'il n'avait pas assez bien fait le ménage, la cuisine, rempli les papiers administratifs et donné les soins aux deux filles de cette famille d'accueil. Alors la belle-mère était bien obligée de prendre un ceinturon pour « faire comprendre » à cet enfant âgé de 10 ans. Quand les fillettes ont grandi, les parents les emmenaient en vacances en laissant Sylvain dehors, sur le palier. Les voisins sont intervenus et Sylvain a été confié à l'âge de 14 ans à une institution où il a été très heureux. Il a rattrapé son retard scolaire, il a appris le métier d'ébéniste, il a épousé une voisine avec qui il a eu deux enfants. Et ce jeune homme estomaque sa femme en affirmant que sa famille d'accueil a été bien gentille de le garder si longtemps. Les dérouillées étaient systématiques, chaque jour, sans raison une gifle, un coup de balai, pour une assiette mal disposée, un plat de nouilles mal cuites, la baignoire mal récurée. La volée partait sans un mot, ni menace, ni justification, ni commentaire. La gentillesse de Sylvain, son élan vers les autres avaient fait de lui plus tard un jeune homme résilient dont toutes les défenses protectrices le menaient à résilier aussi tout contrat mental avec le traumatisme passé. « Je n'ai pas de comptes à régler », disait-il à sa femme stupéfaite qui voyait l'ancien enfant maltraité entourer d'attention sa brutale belle-mère.

L'empreinte du réel dans le cerveau, la trace mnésique, est sans cesse remaniée par le regard sur soi que constituent les souvenirs. Dès l'âge de 18 mois, le développement du système nerveux rend capable de se faire un souvenir préverbal, une représentation d'image.

Une fillette de 2 ans et 3 mois avait soudain changé de comportement. Vive et souriante, elle était devenue figée, grave, presque inerte. Pas de récit possible à cet âge, pas de dessin non plus. Seul le changement brutal de comportement manifestait une inquiétante métamorphose. À l'âge de 6 ans, elle fit un dessin très explicite sur lequel elle écrivit : « Grand-père. » Lentement invitée à s'exprimer, elle a décrit avec des mots ce qui s'était passé [44]. Les aveux du grand-père ont expliqué, quatre ans plus tard, l'étonnante métamorphose comportementale et confirmé qu'un souvenir d'image précis peut se mettre en place avant la maîtrise de la parole.

Mais cette mémoire traumatique est particulière : elle éclaire l'agresseur, au détail près, en mettant de l'ombre alentour. Si l'on peut aujourd'hui affirmer que la mémoire autobiographique des enfants est bien plus fiable qu'on le croyait, il faut ajouter que la manière dont les enfants agressés expriment leurs souvenirs d'images dépend beaucoup de la manière dont les adultes les font parler.

Myrna avait 4 ans quand elle était à Beyrouth pendant la guerre du Liban. Mise en confiance par des jeux sans rapport avec l'agression, elle a dit un jour : « J'ai vu le bout du fusil », « j'ai vu la pierre cassée par le bruit », « ça m'a fait beaucoup de sang », « c'est le monsieur avec une barbe qui a fait le bruit »... Le choix des mots enfantins n'a pas empêché d'exprimer avec précision des souvenirs d'images... à condition que l'adulte les aient laissés venir.

Beaucoup d'adultes vivent dans un monde tellement adulte qu'ils ont oublié comment parlent les enfants. Alors, ils dirigent l'entretien en posant des questions d'adultes où les repères de mémoire sont essentiellement sociaux : « C'était rue Djallil ou rue d'Aboukir ? » L'enfant est surpris, car ces repères n'ont pas de sens pour lui. Il peut répondre : « Djallil. » Et l'adulte en conclut que l'enfant dit n'importe quoi puisque la rue Djallil n'a jamais existé. En fait, c'est l'adulte qui a induit la mauvaise réponse en entraînant l'enfant dans un monde de références claires pour des adultes, mais brumeuses pour un enfant.

Tout à l'heure, l'expérience du jeu des « pirates » nous avait permis de proposer l'idée que toute une partie de la mémoire était déterminée par la verbalisation. Non seulement les mots des adultes fixent des images dans la mémoire des enfants, mais tous les préjugés culturels en font autant. Nos stéréotypes, mille fois répétés, structurent l'alentour verbal d'un enfant et participent à la constitution des souvenirs les plus sincères. Aux États-Unis, pratiquement tous les enfants kidnappés soutiennent que c'est un « Black » qui les a enlevés. Mais quand on retrouve le kidnappeur, on découvre que c'est souvent un Blanc. En France, les femmes agressées sexuellement soutiennent souvent qu'elles l'ont été par un Arabe. Quand on retrouve l'agresseur, on comprend que ce n'est pas aussi systématique que le prétend la réaction verbale spontanée.

Le petit Bernard gardait un souvenir très clair de son évasion en 1944 lors du transfert pour Drancy : une ambulance à distance de la haie des soldats allemands, la fin de l'embarquement dans les wagons scellés, une course à travers les soldats et les miliciens français laissant se désorganiser le barrage qui conduisait vers le train, une infirmière qui lui fait signe, la plongée dans l'ambulance sous le matelas, une dame qui mourait sur le matelas, un officier allemand qui donne le signal du départ... Pendant toute sa vie, Bernard a gardé en lui le souvenir d'image de cette infirmière jeune, élégante dans son uniforme, jolie et blonde. Soixante ans plus tard, les hasards de la vie ont permis à Bernard de retrouver cette dame alors âgée de 84 ans. Elle était toujours vive et jolie. Leurs souvenirs concordaient sur un grand nombre d'images, mais pas totalement. Ce n'était pas une ambulance, mais une camionnette. L'officier allemand n'avait pas donné le signal du départ et même, au contraire, il avait failli faire échouer l'évasion. Et quand Bernard s'est étonné du fait que Mme Descoubes s'était noirci les cheveux, la dame âgée n'a pas répondu, elle s'est levée et est revenue avec une photo : « J'avais 24 ans », a-t-elle dit. Et Bernard a vu une infirmière jeune, jolie, élégante dans son uniforme, aux cheveux noirs comme un corbeau.

Ce sont probablement les stéréotypes culturels de l'époque qui ont retouché des souvenirs par ailleurs très clairs. Quand une infirmière invite à se cacher dans une voiture, il s'agit logiquement d'une ambulance. Quand un officier donne le signal du départ qui autorise à ne pas mourir, ce geste fournit la preuve qu'il reste toujours un peu de bonté même dans l'humanité la plus méchante. Et quand une femme est jolie, elle ne peut qu'être blonde dans une culture où les films américains mettent en scène des fées platinées.

L'expérimentation et les données cliniques permettent aujourd'hui de mieux comprendre comment se constitue un souvenir traumatique. Avant l'image et la parole, au cours des premiers mois, une déchirure sensorielle imprègne dans la mémoire une sensibilité préférentielle, une trace sans souvenirs. Mais très tôt, des images précises entourées de brume constituent le noyau dur du souvenir traumatique. Enfin la parole retouche ces images pour les rendre partageables, socialisables. Les paroles d'adultes qui entourent l'enfant suggèrent quelques variantes interprétatives, et les récits sociaux, les stéréotypes qui structurent nos discours modifient les souvenirs d'images afin de les rendre cohérents. La parole de l'enfant est précise, mais la parole sur l'enfant peut la modifier. Souvent même les adultes « poussent l'enfant à inventer, ou acquiescer ce qui " fait vrai ", au détriment même de sa parole [45] ».

C'est pourquoi les allégations d'inceste lors des demandes de divorce altèrent gravement le psychisme de l'enfant. L'évaluation n'est pas facile à faire, mais quel que soit le chiffre, il est considérable. Dans 25 % des divorces, les mères affirment que le père a eu des rapports incestueux avec les enfants dont elles veulent avoir la garde [46]. Même quand l'accusation n'est pas aussi claire, la simple allusion garde un pouvoir destructeur. Dans 50 % des divorces, quand une mère suggère que, peut-être, il s'est passé des choses bizarres entre son enfant et son mari, la policière est contrainte de poser des questions parfois obscènes pour obtenir des réponses claires [47]. Une telle induction change les souvenirs et les comportements de l'enfant et même son affection pour son père qui sera désormais regardé avec crainte ou dégoût.

Il est nécessaire de protéger les enfants contre les agressions véritables. Il est nécessaire aussi de les protéger contre les allusions. Les souvenirs d'images des petits enfants sont fiables, mais la parole des adultes peut en modifier l'expression [48], car plus l'enfant grandit, plus il se rapproche du monde parolier des adultes et lui-même plus tard pourra à son tour utiliser la fausse allégation.

## L'école révèle l'idée qu'une culture se fait de l'enfance

C'est donc avec un capital historique déjà bien constitué que l'enfant devra affronter la première grande épreuve sociale de sa vie, l'école. Le jour de la rentrée, son tempérament a déjà été façonné par l'attachement précoce qui lui a appris des réponses émotionnelles et comportementales préférentielles. À cette mémoire particulière s'ajoutent très tôt les souvenirs d'images comme un film muet. Les discours des parents, leurs préjugés, éclats de rire, applaudissements ou menaces ajoutent un autre type de mémoire sémantisée. Et c'est avec ce capital psychique venu des proches et imprégné dans sa mémoire que l'enfant fera sa première rentrée scolaire. Pour la première fois de sa vie, il commence à échapper au façonnement parental pour recevoir celui de l'école qui pétrit les enfants beaucoup plus qu'on le croit.

Toute l'histoire de l'éducation n'est en fait que la chronique des idées qu'une culture se fait de l'enfance. Dans la Grèce ancienne, l'école servait surtout au façonnement des gestes qui permettaient une reconnaissance de classe. L'école romaine apprenait surtout la rhétorique. Les problèmes sexuels y étaient très débattus. Une femme violée pouvait faire condamner son violeur à deux peines très graves : mourir ou l'épouser. « Sachant qu'un homme peut violer deux femmes une même nuit, que l'une le condamne à mort et l'autre à l'épouser : expliquez comment le juge va raisonner [49]. »

L'élégance du geste et le maniement du verbe avaient déjà pour fonction d'apprendre aux enfants des signes de distinction sociale. On se reconnaissait dans la fulgurance d'un geste de la main ou de la tournure d'une phrase. On pouvait dès lors se répartir les tâches et les bénéfices. Il ne restait ensuite qu'à apprendre son métier. On découvrait la mythologie à laquelle on ne croyait pas, mais la récitation des tragédies et des structures de parenté des héros du mont Parnasse constituait les repères d'appartenance entre gens bien élevés.

La main était associée à la langue dans les gestes de l'éloquence qui ont structuré les groupes sociaux jusqu'au xxᵉ siècle. La mixité n'empêchait pas la sexualisation de l'instruction. Les filles excellaient dans les liens de solidarité et les garçons dans l'apprentissage des rituels de civilité. Arnolphe, dans L'École des femmes, veut qu'Agnès, sa pupille qu'il désire épouser, comme cela se faisait souvent au xviiᵉ siècle étudie les « maximes du mariage ». À cette époque, l'école servait surtout à enseigner le conformisme. Il fallait orner les personnalités de façon à catégoriser la société en belles âmes et en esprits rustiques.

Penser l'enfant différemment est un excellent indicateur de changement de culture. Quand les petits sont élevés par des clans villageois, la notion de filiation n'est pas très importante puisque l'enfant appartient au groupe. Mais quand, à la Renaissance, les villes italiennes se développent, le foyer parental s'adapte à ce nouvel urbanisme :

la femme à la maison, l'homme dans la société et l'enfant chez la nourrice (quand le père peut payer). Cette personnalisation de l'enfant a mis en lumière l'importance de son affectivité. Certains voulaient la respecter, comme le philosophe Locke au XVIIe siècle. Beaucoup la combattaient car ils pensaient que l'affectivité rabaissait l'homme. Les médecins soulignaient que, lorsque les garçons quittaient la robe, vers l'âge de 7 ans, pour enfiler les hauts-de-chausses, ils se mettaient à mépriser leurs parents. Et le bon docteur Jacques Duval militait contre cet « amour de singe » qui consistait à serrer contre soi son enfant au point de l'étouffer [50].

C'est l'époque où l'école cesse d'être joyeuse pour devenir une morne contrainte d'espace, de postures et de connaissances inutiles. Les punitions physiques n'étaient pas considérées comme violentes puisqu'elles étaient éducatives, morales même. Les tannées, les fessées, les tournées répondaient au stéréotype culturel : « Il faut mater les garçons pour en faire des hommes. » On apprenait aux enfants à supporter la brutalité des adultes. Pourtant, des liens d'amitié se développaient durablement chez ces enfants éduqués dans la pédagogie noire [51]. Pendant les quelques minutes où ils échappaient aux maîtres, lors des récréations, à la sortie de l'école ou dans les toilettes, les enfants se parlaient, tissaient des liens et s'influençaient mutuellement, participant ainsi à une éducation réussie malgré les éducateurs.

Un des plus importants phénomènes du XXe siècle, c'est l'expansion de l'école. À l'époque de Jules Ferry, les enfants entraient à l'école vers l'âge de 7 ans et la plupart la quittaient vers leur douzième année. En ce début de

XXIᵉ siècle, presque tous les enfants de 3 ans sont déjà scolarisés. Ils ne quitteront ce milieu qu'entre 25 et 30 ans! Un tiers de l'existence, au moment où les apprentissages sont les plus rapides, se passe sur les bancs de l'école. Est-ce que cela pourrait ne pas avoir d'influence?

Les pressions qui façonnent nos enfants changent de forme chaque fois que change la culture. Dans une culture qui découvre l'importance de l'affection, les parents désirent en même temps mener une aventure personnelle. Alors, pendant les heures encore disponibles, ils surinvestissent les marques affectives. L'éducation parentale qui ne considère plus le dressage comme une méthode morale transfère l'autorité sur l'école et l'État. Mais ce sont des liens d'attachement non sécure qui se tissent le plus facilement dans ces institutions purement opératoires, centrées sur la fonction plus que sur la relation.

Le développement des technologies exige une manipulation correcte des connaissances abstraites. Il y a seulement deux générations, un enfant qui échouait à l'école gardait sa dignité et gagnait sa part de bonheur en devenant ouvrier ou paysan. Depuis quelques années, celui qui n'a pas de diplôme risque d'être chassé de la société et humilié.

### Le jour de sa première rentrée scolaire, un enfant a déjà acquis un style affectif et appris les préjugés de ses parents

La socialisation affective se caractérise par un art de la relation, une manière de s'exprimer et de tricoter son lien de moins en moins codée par les rituels culturels. Or un enfant qui a acquis le style relationnel d'un attachement sécure bénéficie toute sa vie d'un tel apprentissage [52], alors qu'un enfant mal parti dans la vie, à cause de difficultés individuelles, familiales ou sociales, bénéficie moins de l'étayage des codes sociaux : « On dit " bonjour " à la dame, on enlève sa casquette.» Bien sûr, il ne s'agissait que d'une convention désuète, mais cela socialisait mieux qu'un grognement répulsif de la part d'un enfant qui se sent rejeté parce qu'on ne lui a pas appris à dire bonjour.

En deux générations, nous avons bouleversé la condition humaine. Quatre-vingt-dix pour cent de toutes les découvertes techniques et scientifiques depuis l'origine de l'homme ont été faites ces cinquante dernières années. Cette victoire de la connaissance abstraite a créé un monde virtuel, une nouvelle planète où nous avons emmené nos enfants sans savoir comment ils allaient s'y développer.

Le lien, la fonction et le sens (aimer, travailler et historiser), ces trois conditions d'une vie humaine viennent de changer de signification. Le lien se tisse de plus en plus en dehors de la famille ou du clan villageois. On apprend à aimer dans des institutions froides où l'idolâtrie de la performance contredit le pieux discours égalitaire : « Il a fait l'ENA..., elle est championne du 400 mètres haies..., nous sommes tous égaux »...

J'ai connu l'époque où l'on se socialisait par le corps. Un homme devait être fort et ne jamais se plaindre. Une femme devait s'occuper de son foyer. Aujourd'hui, ce ne sont plus le dos des hommes ni le ventre des femmes qui socialisent, c'est le diplôme. C'est dans ce nouveau contexte que les enfants blessés auront à se réparer. C'est dans une culture performante et boulimique que l'école devra demeurer un facteur de résilience. L'école et la famille ne sont pas séparables. Les enfants qui s'intègrent le mieux à l'école sont ceux qui ont acquis dans leur famille un attachement sécure. En retour, le succès ou l'échec à l'école modifient l'ambiance à la maison et l'orientation de la trajectoire sociale. Bien sûr, l'école n'est pas une institution angélique, elle est même fortement sexualisée.

Connaissez-vous des enfants qui disent : « Je vais à l'école pour apprendre des leçons »? Les réponses sont nettes : 60 % des filles disent : « Je vais à l'école pour maman et pour papa. » Tandis que les garçons affirment dans 70 % des cas : « Je vais à l'école pour les copains. » Quand on les invite à s'expliquer, les filles ajoutent : « J'y vais aussi pour la maîtresse. » Dans l'ensemble, les enfants vont à l'école pour des raisons relationnelles ou affectives. Les filles, pour plaire aux adultes, les garçons pour rencontrer des copains et partager avec eux quelques activités. Seul 1 % des filles et des garçons vont à l'école pour apprendre !

L'échec aussi est sexualisé. Les filles s'adaptent à la défaillance en « faisant le bébé » afin de se faire prendre en charge, alors que les garçons ont tendance à réparer leur estime blessée par des conduites antisociales ou des actes agressifs. Ce qui n'empêche que la fratrie, les copains, le quartier et même la personnalité de l'enseignant ont pu modifier à leur tour les trajectoires familiales et sociales de l'élève [53].

On fragmente pour mieux analyser, mais le réel, lui, est continu. C'est en intégrant la famille, l'école, le sexe et le social que l'on pourra comprendre comment cette institution peut produire un effet de résilience. La théorie qui soutient que l'école est le principal outil de la reproduction sociale est vérifiable depuis la Grèce ancienne. Cet instrument peut fonctionner efficacement même en ne transmettant aucune connaissance utile. Or c'est dans les marges qu'on trouve les idées imprévues qui permettent d'analyser le processus de la résilience.

Lorsqu'on observe le devenir à long terme des enfants de parents malades mentaux, alcooliques, criminels ou agresseurs sexuels, on découvre que, vingt ans plus tard, lorsqu'un seul parent est atteint, 25 % des enfants souffrent de dépression et 75 % quand les deux parents sont altérés [54]. C'est infiniment plus que la population générale, mais cette observation nous permet de comprendre que ceux qui ont pu surmonter ce handicap affectif et social ont presque tous rencontré un deuxième cercle de proches, oncles, cousins ou voisins qui ont bien voulu servir de tuteurs de remplacement.

## Quelques familles-bastions résistent au désespoir culturel

Dans les sociétés détruites par la guerre, l'effondrement économique et la déritualisation culturelle, la plupart des enfants ont du mal à se développer sauf ceux qui vivent dans des foyers dont la structure est caractéristique. Même dans un contexte de grande misère, on découvre des enfants qui travaillent bien à l'école et acquièrent un diplôme qui leur permet de s'en sortir. Dans presque tous les cas, on trouve un milieu familial très structuré : les gestes de l'affection, les pratiques domestiques, les rituels religieux ou laïcs et les rôles parentaux sont clairs. On bavarde beaucoup, on se touche avec des gestes et des mots, on partage l'entretien du foyer, on prie, on se raconte des histoires pour donner sens à ce qui nous arrive et les parents associés ont des rôles différenciés [55]. Ces familles-là échappent aux effets sociaux de leur milieu délabré. Elles croient en un espace de liberté intime [56] : « Il est toujours possible de s'en sortir, regarde ton grand frère qui est arrivé d'Italie et qui pendant trois mois a dû coucher dehors, aujourd'hui il est chef d'entreprise. » Cette croyance familiale en un « contrôle interne » crée un équivalent d'attachement sécure, une force intime qui permet à l'enfant d'échapper aux stéréotypes de son groupe social.

Le foyer des Charpak est l'exemple type de ces « familles-bastions » pauvres mais sécurisantes et dynamisantes : « Mes parents avaient, je crois, une certaine distinction naturelle. Mais c'était souvent le cas dans la classe ouvrière, où les parents mettaient un point d'honneur à avoir des enfants polis, serviables, courtois et qui les respectaient. Ce respect dû à nos parents allait de soi et nous donnait un très grand sentiment de sécurité, car nous savions très précisément où se situaient les limites à ne pas franchir [57]. » Les Charpak, immigrants juifs venus d'Ukraine, s'installent à Paris. Ils vivent à quatre dans une chambre de bonne de 15 mètres carrés. La mère travaille à la maison et coud presque toute la nuit sur une antique machine Singer. Les enfants dorment sur un matelas à même le sol. Le père se lève très tôt pour effectuer des livraisons en triporteur. Mais toute la famille vit dans « la conviction qu'un jour, à force de travail, viendraient des conditions meilleures ». L'important dans cette famille pauvre, c'est de « permettre aux enfants une scolarisation suivie ». Quelques années plus tard, malgré une déportation à Dachau, Georges réussit le concours d'entrée à l'École des mines et entreprend une carrière de physicien couronnée par un prix Nobel pour la France en 1990.

Il est possible de décrire ces familles pauvres qui, malgré la déchirure de l'immigration, intègrent leurs enfants dès la première génération et les « mènent à Polytechnique [58] ». Pratiquement toutes ces familles sont « fonctionnalistes », c'est-à-dire que chaque élément du système familial s'adapte aux autres afin de réaliser un projet d'ensemble. Il ne s'agit pas de sacrifice, mais plutôt de consécration puisque le renoncement de chacun à un petit plaisir immédiat apporte beaucoup de bonheur à l'ensemble en permettant la réalisation des rêves du groupe familial. Les pères sont autoritaires, les mères travaillent et, malgré leur grande pauvreté, les enfants héroïsent le courage de leurs parents.

Ces familles-là fonctionnent et s'organisent autour du don. Chacun sait ce que donne l'autre : le travail, le temps, l'affection et les cadeaux. Même les enfants participent aux tâches ménagères. Il leur arrive de gagner un peu d'argent dont ils donnent une part à leurs parents. Ils attribuent à la réussite scolaire le pouvoir magique de réparer le traumatisme de leurs parents : « D'accord, vous avez souffert en vous arrachant à votre pays d'origine et en travaillant dix-huit heures par jour, mais vos souffrances valaient la peine puisque grâce à vous j'aurai une vie merveilleuse.» Cette contrainte à réussir est un bonheur sur le fil du rasoir, un stimulant qui frôle l'angoisse parce qu'en cas d'échec, le malheur sera double.

Amin vendait des chemises sur le marché aux puces à Argenteuil. Quand le temps était doux, c'était très agréable, le dimanche au petit matin, de monter le stand sur le bord de la Seine, près du pont si souvent peint par Claude Monet. Mais Amin m'agaçait parce que, étudiant en médecine comme moi, il m'adressait la parole en criant d'un stand à l'autre. Sur le marché aux puces, il me demandait comment s'était passé l'examen d'anatomie, mais à la fac de médecine, comme tout bon commerçant, il se désespérait de sa recette. Je n'aimais pas cette manière de se désengager du milieu social qui nous accueillait, même si je comprenais qu'il s'agissait pour lui d'un procédé d'identification. Avant Mai 68, les grands patrons de médecine se comportaient comme des aristocrates du diplôme, des princes de l'intellect planant au-dessus du vil peuple. Un lundi matin, le professeur Daub a interrogé mon copain des puces devant un parterre de deux cents étudiants qui s'en foutaient éperdument. Le dimanche avait été vraiment dur, glacé, mouillé et venteux, et mon copain des puces n'avait pas eu la force de préparer la question médicale. Le professeur irrité par sa médiocrité lui a demandé : « Que font vos parents ? – Mon père est mort, et ma mère fait des ménages. » Indignation vertueuse du prince professeur qui aussitôt entreprend une leçon de morale devant les étudiants enfin intéressés. Il explique à mon copain des puces qu'il se comporte comme un maquereau en faisant travailler sa pauvre mère et que, pour mieux l'aider il devrait abandonner ses études. Aujourd'hui, mon copain est radiologue et sa mère est heureuse d'avoir tant donné. Ses efforts ont pris sens et mon copain des puces lui a donné l'occasion d'être fière. « Ceux qui ne savent pas donner ne savent pas ce qu'ils perdent[59] », mais un cadeau ne vaut que par ce qu'il veut dire. Il peut signifier intention d'humilier, volonté d'obliger l'autre à la dette, autant que besoin de se racheter ou désir de rendre heureux. Mais ce petit scénario, venu du fond de soi, prend des sens différents selon le contexte social où il s'exprime.

## Quand les enfants des rues résistent aux agressions culturelles

L'Organisation mondiale de la santé et l'Unicef estiment à plus de 100 millions le nombre d'enfants mis aujourd'hui à la rue. Dans l'ensemble, il s'agit de garçons, âgés de 6 à 17 ans, faiblement éduqués, issus de familles nombreuses dont le père a disparu[60].

Pourtant, au sein de cette énorme population, il faut distinguer un petit groupe d'enfants des rues appartenant à un type de famille dont la structure affective et les comportements ritualisés rappellent fortement « ces familles d'ouvriers qui mènent leurs enfants à Polytechnique ». En plein milieu d'une incroyable misère, le père et la mère fortement associés se répartissent les tâches et structurent les journées avec des petits rituels d'hygiène, de religion et de fêtes naïves qui s'imprègnent dans la mémoire des enfants et charpentent leur personnalisation. Dès l'âge de 7 ans, et parfois même un peu plus tôt, ces enfants sont envoyés dans la rue pour y vendre de menus objets. Ils mendient, « surveillent » des voitures, fouillent les tas d'ordures ou manigancent leurs petits larcins, mais toujours ils savent qu'ils peuvent rentrer à la maison et donner à leurs parents la plus grande partie de l'argent qui servira à payer la nourriture, les vêtements et les cours de rattrapage scolaire donnés par des organisations non gouvernementales. C'est dans ces familles-là qu'on trouve le plus grand nombre d'enfants résilients. Sales, souvent retardés, ils apprennent un métier, fondent une famille et volent au secours de ceux qui sont encore en difficulté. Ils deviennent infirmiers, ingénieurs, avocats ou soldats. L'épreuve de la rue les a fortifiés, comme mon copain des puces. Mais s'ils n'avaient pas eu autour d'eux une enveloppe affective et des structures rituelles, l'épreuve de la rue les aurait fracassés. Ils auraient consommé des substances toxiques pour supporter l'épreuve, se seraient prostitués pour gagner leur vie, seraient tombés malades, auraient été rejetés, isolés, battus, violés et, de chute en chute, ils se seraient désocialisés. C'est le cas de la majorité d'entre eux. Mais ce qui provoque la dégringolade, ce n'est pas le coup, c'est l'absence d'étayage affectif et social qui empêche de trouver des tuteurs de résilience.

Michel Le Bris, l'inventeur du festival « Étonnants voyageurs » à Saint-Malo, fils d'une mère célibataire, a connu l'épreuve de l'extrême pauvreté et de l'agression du regard social. Être « fille mère » il y a cinquante ans était considéré comme une faute grave et le petit Michel à Plougasnou, dans le Finistère, a connu la misère sociale, mais pas la misère affective. L'attachement sécure imprégné en lui par l'affection de sa mère lui a donné le goût des explorations. Il dit qu'il a eu trois chances dans sa vie : un instituteur qui lui a appris la littérature, un professeur qui l'a envoyé au lycée à Paris, et Mai 1968 qui lui a donné l'audace de s'exprimer. Mais il faut du talent pour avoir tant de chance, et ce goût de l'autre lui est venu de l'affection donnée par sa mère qui lui a permis le plaisir des rencontres. Il a donc pu transformer l'épreuve en créativité et acquérir « l'envie d'être le premier [61] ». Ce qui aurait pu être une honte a été transformé en besoin de donner un peu de fierté à celle qui, malgré l'épreuve, avait su l'aimer. Jean-Paul Sartre et Romain Gary ont connu le même système de défense : revaloriser celle qui, en vous aimant, vous a renforcé. Voilà ce que mon copain des puces aurait dû expliquer au professeur Daub. La vulnérabilité sociale de la mère n'avait pas entraîné de carence affective et l'enfant, malgré sa pauvreté et l'agression culturelle, avait acquis le désir de réparer cette injustice.

Des parents morts peuvent encore offrir une grande valeur d'identification à leur enfant quand ils sont vantés par la culture ou « racontés » par des photos, des médailles ou des objets signifiants. Des parents pauvres peuvent étayer le milieu de leur enfant quand leur affection et leurs rituels structurent l'alentour et composent ainsi des tuteurs de développement. Des mères vulnérabilisées par les préjugés culturels peuvent encore donner de la force quand elles composent avec leur corps, leurs gestes et leurs mots une base affective qui sert de tremplin à l'épanouissement du petit. À l'inverse, certains parents solides et bien développés se servent de leurs diplômes pour calmer leur fringale de réussite sociale. Ceux-là, malgré leurs grandes qualités personnelles et l'organisation d'un milieu confortable ne fournissent pas de base de sécurité à leurs enfants puisque, ne prenant pas leur place dans le foyer, ils ne marquent pas leur empreinte dans la mémoire du petit. Or une société qui encourage ces valeurs de course au diplôme et d'appétit de consommation crée autour des enfants une dilution affective. D'autres que leurs parents pourront alors marquer leur empreinte et l'école, sans le vouloir, prend aujourd'hui cette place de substitution.

## On a négligé le pouvoir façonnant des enfants entre eux

On ne peut pas vraiment parler de traumatisme, mais on peut à coup sûr évoquer une épreuve difficile quand on constate qu'à l'âge de 6 ans, dans les semaines qui suivent l'entrée à l'école, un enfant sur deux manifeste des souffrances comportementales : troubles alimentaires, difficultés de sommeil, cauchemars, angoisses, ralentissement et irritabilité. À peine ont-ils acquis leur base de sécurité (maman, papa, la maison, les routines) qu'ils sont lâchés dans un nouveau monde, avec une maîtresse inconnue qui s'occupe de vingt autres enfants et des compagnons avec lesquels ils entrent en rivalité dans un espace austère et contraignant. Pour peu que les parents fassent la course au travail et aux loisirs, pour peu que la famille dite « élargie » se rétrécisse en n'offrant que la présence intermittente d'un seul adulte, l'enfant n'aura pour principaux contacts que d'autres enfants de sa fratrie et de l'école dont il recevra désormais l'empreinte. Il est tout juste âgé de 6 ans que déjà le pouvoir façonnant des adultes s'estompe. La grande personne familière n'est plus la seule image saillante de son monde, c'est un autre enfant, un « grand » souvent, qui prend cette place. Quant aux nouveaux responsables, ils composent des figures lointaines, non sécurisantes car ils ont le pouvoir de punir et de gouverner sans affectivité. Quand l'enfant a acquis un attachement serein qui donne du plaisir à toute exploration, une figure nouvelle d'adulte permet une ouverture de son monde mental. Mais quand un malheur ou une difficulté familiale a fragilisé l'acquisition de ce type d'attachement, l'enfant éprouve l'adulte inconnu comme un persécuteur auquel il devra se soumettre. Alors il rêve en secret qu'un jour, il se révoltera. Son monde se clive comme après un traumatisme et se sépare en adultes familiers qui se laissent dominer parce qu'ils aiment l'enfant et en adultes non familiers qui, eux, peuvent dominer parce qu'ils sont protégés par leur absence d'affection. Une structure sociale qui catégorise le monde en adultes familiers soumis et étrangers dominateurs peut donc induire l'apprentissage d'un sentiment clivé. Dans un tel milieu, l'enfant s'exerce aux rapports de domination où celui qui a le malheur d'aimer est perdu alors que celui qui combat l'affection se sent dominateur et protégé. L'enfant ignore que, plus tard, il payera très cher cette défense d'aimer.

Par bonheur, dans un tel contexte social et culturel les petits apprennent à s'attacher à d'autres enfants avec qui ils connaîtront d'autres manières d'aimer. Les « grands » peuvent assumer la fonction de tuteur de résilience que les parents débordés et les enseignants distants ne peuvent plus exercer. Ce pouvoir façonnant entre enfants est certainement sous-estimé par notre culture. L'entourage qui pétrit nos enfants a beaucoup changé depuis l'expansion de l'école. Les mères, de plus en plus socialisées, deviennent imaginaires, les pères ne sont plus ces héros lointains et un peu effrayants, les familles élargies composent des foyers rétrécis et les clans imposent une carcasse en n'offrant qu'un seul modèle de développement. En revanche, l'école, le quartier et les compagnons disposent autour des jeunes les principales rencontres et routines qui tutorisent leur développement.

Tout cela provoque la naissance d'une culture d'enfants qui échappe au façonnement des proches et les abandonne aux adultes qui les manipulent dans l'ombre pour en faire le jouet du marché ou la proie des idéologues. Ces enfants, si facilement rebelles contre leurs éducateurs, se laissent gouverner par les directeurs de grandes surfaces et les slogans de partis extrêmes.

Dans ce contexte, cette culture d'enfants partage quelques valeurs avec celle des enfants des rues. La fête incessante devient nécessaire pour lutter contre le désespoir, la recherche de stimulations intenses permet d'effacer la non-vie de l'ennui et l'amour du risque fait émerger des événements identifiants.

Alors se crée dans notre culture technologique une situation décrite dans *Sa Majesté-des-Mouches* [62]. Le sociologue romancier décrit de manière prémonitoire comment un groupe d'enfants privés de l'empreinte des adultes réinvente les processus archaïques de la constitution de toute société. Au cours d'un naufrage près d'une petite île, les barques de sauvetage contenant les adultes se retournent et seuls les enfants parviennent à la côte. Peu à peu, dans des conditions de survie « à la Robinson Crusoé », se forment deux manières de vivre en société : les prédateurs entourent un chef dont ils augmentent le pouvoir, tandis que les démocrates tentent d'organiser la vie sociale. C'est un peu la situation qu'a vécue Raphaël en France dans les années 1950. Sa famille a été massacrée pendant la guerre de 1940 et Raphaël a alterné pendant plusieurs années des séjours dangereux dans la rue et des moments de résidence dans une vingtaine d'institutions mornes d'où il s'enfuyait régulièrement. Une famille d'accueil plutôt sympathique l'a pris en charge. Mais le couple de commerçants modernes alternait les périodes de travail intense avec des repos, bien mérités, aux sports d'hiver ou en croisière. Raphaël, dès l'âge de 12 ans, a donc eu à gouverner un foyer sans adultes. Il se levait très tôt, faisait le ménage, préparait le repas des enfants du couple et les menait chez la gardienne avant de filer au lycée. Le soir, il faisait les courses en rentrant, préparait le dîner et toilettait les petits avant de s'attaquer à ses devoirs. Quand sa famille d'accueil était présente, une ou deux nuits par semaine, Raphaël allait se promener dans le quartier du vieux port où il traînait pour voir passer les gens. Il a ainsi fait la connaissance d'une petite bande d'adolescents à forts caractères. Il y avait là Michel le menteur qui vendait des papiers administratifs volés, Alain le mignon qui monnayait son corps dans des soirées

élégantes, Alfonso le gringalet qui parlait en riant des
dérouillées qu'il recevait lors des bagarres qu'il provoquait
et Éric l'intello qui expliquait doctement pourquoi il était
moral de voler dans les grandes surfaces. Un soir où
Raphaël s'était laissé convaincre de la nécessité vertueuse
de ces larcins, il fut pris en flagrant délit de vol d'un
paquet de stylos dont il n'avait pas besoin. Sa vie bascula.
Les inspecteurs, surpris par sa maturité psychologique,
ayant constaté qu'il n'y avait personne à son domicile et
que le jeune voleur devait récupérer les deux petits pour
s'en occuper le soir même, le laissèrent partir.

Quelques jours plus tard, en emmenant les enfants
chez la gardienne, au lieu de filer au lycée où il arrivait
presque toujours en retard, Raphaël se mit à discuter avec
le mari qui était une caricature de ce qu'on appelait un
« vieux communiste ». L'homme, un soudeur solide parlant facilement, récitait avec douceur les clichés de son
milieu. Raphaël fut enchanté par ce discours fluide, aux
exemples clairs à force d'avoir été répétés. Le soir suivant,
au café de la Rade, il entraînait la petite bande dans une
discussion politique et tous s'enflammèrent, sauf Alain le
mignon qui trouvait ces propos ridicules et tellement
moins rentables que les soirées sexuelles dans les beaux
quartiers.

La petite bande venait de changer d'ambiance. On
achetait *L'Humanité*, on commentait les titres afin d'y
trouver des occasions de s'indigner. Éric fut convaincu de
la nécessité de lutter contre les grandes surfaces autrement que par les petits larcins. Alain, méprisant, décida
qu'il n'avait plus rien à faire dans cette bande de minables
et Raphaël fut surpris par l'intensité du bonheur que lui
procuraient ces nouvelles discussions.

Ce processus qui se déroule souvent dans notre culture occidentale est proche de celui par lequel passent les enfants des rues. L'adulte est là bien sûr, mais pas en tant que tuteur. Le plus souvent, un enfant qui flotte est prenable. C'est une proie facile pour les mafias du sexe, du travail abusif ou des idéologies extrêmes.

## Une rencontre muette mais lourde de sens peut prendre un effet de résilience

Quand un enfant flotte trop près d'un prédateur, une simple main tendue devient un appui qui pourrait le sauver. Même un bavardage anodin constitue un événement qui peut modifier le cours de son existence. C'est souvent comme ça que les enseignants sont efficaces, autant que par le déversement de connaissances abstraites. Ils deviennent tuteurs de résilience pour un enfant blessé quand ils créent un événement signifiant qui prend valeur de repère.

Le père de Miguel était journaliste à Santiago. Une nuit, il avait dû s'enfuir juste avant l'arrivée des militaires, mais il avait été arrêté le lendemain chez des amis. Seuls Miguel et sa mère avaient pu prendre l'avion pour Paris. Peu de temps après, la mère est tombée malade et a disparu, laissant son fils de 16 ans seul, avec des papiers toujours incomplets et une langue incertaine. L'école est devenue pour le grand garçon le principal espoir d'intégration. Il travaillait très tôt le matin comme laveur de carreaux au forfait et sautait sur son vélo pour arriver au lycée. Dès la première heure de cours, il avait déjà trois heures de travail « dans les jambes ». À midi, il était serveur dans une cantine avant de revenir pour le cours de quatorze heures. M. Bonnafe, professeur de sciences naturelles, avait une réputation de sévérité. Pourtant, il ne haussait jamais le ton, mais il tenait dans sa main gauche un stock de petits bouts de craie qu'il lançait avec précision sur le crâne des enfants bavards ou distraits. Personne ne protestait. Un silence anxieux pesait dans cette classe. Un jour, Bonnafe est venu prendre son déjeuner dans la cantine où Miguel servait au pas de course. Pas un mot n'a été échangé, mais le long regard appuyé du professeur a permis à Miguel de comprendre qu'un événement émotionnel venait de se passer. L'après-midi, en cours, Miguel a deviné chez l'enseignant un tout petit haussement de sourcils et un imperceptible hochement de tête qui signifiait à coup sûr « chapeau ». Ce minuscule petit signe donnait le point de départ d'une relation privilégiée. Désormais Miguel existait sous le regard de cet homme qui remettait les copies à l'enfant en marquant un silence et qui parfois, pendant le cours, semblait s'adresser au garçon. Cette complicité muette a rendu l'adolescent étonnamment sensible au cours de sciences naturelles. Il le préparait attentivement en sachant que Bonnafe attacherait de l'importance à tout ce qui viendrait de lui. Il a énormément progressé et tellement investi cette matière que, quelques années plus tard, il est devenu médecin. Il n'est pas question de dire que c'est le haussement de sourcils de l'enseignant qui a rendu l'enfant médecin puisque déjà au Chili il rêvait de ce métier, mais il est question de l'idée qu'un enfant n'investit une discipline que pour quelqu'un, à son intention. Le moindre geste signifiant qui veut dire : « Tu existes dans mon esprit et ce que tu fais est important pour moi » éclaire un morceau de monde et rend sensible à un type de connaissances abstraites. L'effet de résilience est survenu grâce à une rencontre muette mais lourde de sens puisque chacun est devenu pour l'autre une figure signifiante. Pour Bonnafe, l'enfant signifiait : « Il a un courage que je n'ai pas eu, moi, quand j'ai dû interrompre mes études. » Et pour l'enfant, l'enseignant signifiait : « J'ai gagné son estime, donc je suis estimable, malgré mon épuisement physique et ma misère sociale. »

Il est très étonnant de constater à quel point les enseignants sous-estiment l'effet de leur personne et surestiment la transmission de leurs connaissances. Beaucoup d'enfants, vraiment beaucoup, expliquent en psychothérapie à quel point un enseignant a modifié la trajectoire de leur existence par une simple attitude ou une phrase, anodine pour l'adulte mais bouleversante pour le petit.

Les enseignants, en revanche, n'ont pas conscience de ce pouvoir. Les professeurs interrogés sur la réussite scolaire de leurs élèves ne s'attribuent presque jamais le mérite du succès [63]. Presque toujours, ils l'expliquent par une sorte de qualité inhérente à l'élève : « Il avait une bonne tête », « ça rentrait bien », « il était studieux »... comme si l'enfant avait possédé une sorte de qualité scolaire à laquelle ils étaient étrangers, un bon terreau où avaient poussé les connaissances qu'ils y avaient plantées.

Chez un enfant blessé, la rage de comprendre pousse à une intellectualisation qui produit un effet de défense constructive. Les mathématiques qui constituent une étonnante compréhension de l'univers ne l'aident pas beaucoup dans une telle défense, sauf si elles permettent une revalorisation de l'estime de soi. Dans ce cas, c'est le succès qui produit un effet de défense, plus que le plaisir de la compréhension. Alors que les sciences humaines, la littérature, la politique, non seulement donnent cohérence au monde bousculé de l'enfant, mais encore créent un sentiment d'apaisement en permettant d'adopter une conduite à tenir, un gouvernement de l'intime.

Ce raisonnement vaut pour les enseignants qui se sentent remis en question quand l'échec des enfants les met eux-mêmes en échec. Leurs conduites face aux élèves sont des manifestations de leur propre désorganisation. « Monsieur Miguel vous êtes encore en retard, vous somnolez, vos explications sont pâteuses. » On peut imaginer que M. Bonnafe avait éprouvé un sentiment de ce genre. La métamorphose sentimentale de l'enseignant a dû se faire sentir quand il a vu Miguel courir entre les tables pour gagner son maigre salaire. En un seul scénario, le professeur était passé de l'agacement à l'estime de l'enfant et ses gestes ont exprimé le changement de son monde intime de représentations.

C'est pourquoi les enseignants qui croient en la résilience ont un effet de résilience supérieur à ceux qui n'y croient pas. Même quand ils n'ont pas travaillé le concept, le simple fait d'en être convaincu construit une représentation intime qui s'exprime par des indices que l'enfant perçoit comme des informations massives, évidentes pour lui.

Mais cela ne peut pas constituer une recette comportementale puisque, pour faire un tuteur de résilience, il faut une constellation de pressions. Le petit changement d'interaction qui témoigne du changement de représentations dans l'esprit de l'enseignant est mieux accepté par les filles. Elles font facilement de ces indices comportementaux un tuteur de résilience puisque, depuis leurs petites années, elles vont à l'école pour plaire à maman, à papa et à la maîtresse. Alors que beaucoup de garçons, percevant ces modifications comportementales de l'adulte, n'en font pas un tuteur de résilience car dans certains milieux où la pression des compagnons disqualifie l'école, un tel indice n'a pas grande signification.

## On peut surinvestir l'école pour plaire à ses parents ou pour leur échapper

Quand mon ami Abel Raledjian a décidé de faire des études de médecine à Marseille, sa famille a été folle de bonheur. Ils vivaient pourtant très pauvrement en vendant des pantalons rue du Baignoir, près du vieux port. En dehors des heures de lycée, le grand garçon aidait ses parents à faire les retouches et les livraisons. Il avait beaucoup d'amis dans les boutiques d'à côté, les quincailleries, les petites pâtisseries et les marchands d'électroménager. Le jour où il a annoncé son intention de faire des études de médecine, il a enchanté sa famille et perdu ses amis : « Il n'y a que les filles et les pédés qui font des études. Un homme, un vrai, est plâtrier comme moi. » Dans l'esprit de ses copains de la rue du Baignoir, il les trahissait en tentant l'aventure des bourgeois, alors que pour ses parents, il donnait sens à leurs sacrifices. Si Abel avait préféré partager le monde de ses copains, il n'aurait pas perçu les indices d'encouragement des enseignants, alors qu'en préférant s'inscrire dans l'histoire de sa famille, les mots de bonheur provoqués par sa décision ont rendu l'enfant hypersensible au moindre indice émis par les enseignants. Le cheminement des jeunes dans leurs contextes affectifs et culturels attribue à ce même comportement des significations différentes : « Tu vas nous trahir » peut devenir : « Tu vas faire notre fierté. »

Les tuteurs scolaires de la résilience sont parfois coûteux. Le père de Marina avait fui l'Italie fasciste une nuit, à onze heures. Il s'était rendu à la gare et avait dit au guichetier : « Je veux aller en France. Donnez-moi le billet qui correspond à l'argent que j'ai sur moi. » Il avait ainsi fait le voyage de Savone à La Ciotat où il était descendu sans connaître la langue ni le pays. Il avait trouvé un taudis dans une vigne et avait été embauché par le propriétaire. Marina y était née et avait passé son enfance dans la honte d'avoir des parents incultes et terriblement pauvres. Sa robe était sale, elle n'avait pas de chaussures, mais elle souffrait moins quand elle rêvait que sa honte disparaîtrait le jour où elle deviendrait professeur de français. Elle est devenue professeur de français ! Pour réaliser ce rêve résilient, elle a dû chaque jour lutter contre son père. Pour cet homme, le courage de survivre passait par la volonté physique. Alors, quand il voyait sa fille en train de lire, ça le mettait en rage et il donnait des coups de pied dans les livres, dans les meubles et parfois dans l'enfant. Comment osait-elle se mettre en vacances et s'offrir une lecture, un plaisir paresseux, quand il fallait se battre pour survivre et prendre sa place dans le pays d'accueil ? Ce qui était un rêve de résilience pour Marina devenait une preuve de paresse pour son père. Elle a donc étudié en cachette pour réparer sa honte. Elle a beaucoup travaillé mais elle était triste de ne pas pouvoir partager ce plaisir avec son père qui éprouvait la réussite intellectuelle de sa fille comme une humiliation supplémentaire pour lui.

Et c'est encore un enseignant qui a renforcé le processus de résilience de Marina en lui demandant d'écrire ce qu'elle imaginait du pays de ses origines. L'enfant a joliment décrit la beauté de l'Italie où elle a mis en scène un père gentil et cultivé issu d'une famille pauvre mais tellement instruite. Elle a relu mille fois cette rédaction de résilience qu'elle cachait soigneusement en rêvant que son père la découvrirait, la lirait et en sortirait métamorphosé.

Les enseignants ont bien plus de pouvoir que ce qu'ils croient, mais ils n'ont pas le pouvoir qu'ils croient.

Finalement, on peut trouver un point commun entre ces familles pauvres qui mènent leurs enfants à la réussite scolaire et ces élèves qui, malgré leur famille, s'épanouissent à l'école : chacun croit en une sorte de liberté intérieure, comme s'il disait : « Je ne vois pas pourquoi je me soumettrais à la statistique qui dit qu'un enfant d'ouvrier ne fait pas d'études supérieures », ou : « Je ne vois pas pourquoi je détesterais la lecture comme le souhaite mon père. » Ce « contrôle interne [64] » est coûteux car ce type de famille souvent s'isole de son contexte social et parfois même, c'est l'enfant qui doit s'isoler et perdre l'estime de ses proches pour étudier en cachette.

## La croyance en ses rêves
## comme une liberté intérieure

Le sentiment de liberté intérieure, de capacité à l'autodétermination est une acquisition précoce probablement liée à l'imprégnation de l'attachement sécure. En cas d'agression, l'enfant continue à croire en ce qu'il a choisi, aux rêves qui sont en lui et non pas seulement aux stimulations du milieu. Il est moins soumis au contexte et se détermine mieux selon son monde intérieur. Nadir avait beaucoup de difficultés à faire ses études de droit. Non seulement il devait gagner sa vie en même temps qu'il étudiait, mais il devait en plus ne pas en parler chez lui car sa réussite scolaire agaçait sa famille. Son père s'était engagé dans les harkis tant il rêvait de devenir un vrai Français. L'indépendance de l'Algérie l'avait chassé dans des cabanes sur la côte varoise. Nadir n'était pas le préféré de sa mère. Elle se sentait plus à l'aise avec ses filles qui riaient tout le temps en s'occupant des tâches domestiques et même avec ses autres fils qu'elle jugeait moins prétentieux que Nadir dont les phrases étaient trop compliquées. À cette époque, en deuxième année de droit, un professeur donnait à voix haute, les résultats de l'écrit avant d'appeler les candidats à se présenter à l'oral. Nadir, comme tout le monde, attendait l'appel de son nom, mais à côté de lui un autre candidat cherchait à faire rire ses voisins en ajoutant « Mort pour la France » chaque fois qu'un nom étranger était prononcé. « Sami Idrir » : « Mort pour la France » ; « Angelo Francesco » : « Mort pour la France » ; « Jacques Lebensbaum » : « Mort pour la

France » ; « Nadir Belchir » : « Mort pour la France. » Pendant une fraction de seconde, Nadir s'est offert le plaisir fantasmatique de lui envoyer son poing dans la figure. Il aurait écrasé ce jeune homme qu'il dominait physiquement. Mais peut-être aurait-il cassé ses lunettes, peut-être l'émotion de la bagarre l'aurait-elle empêché de travailler ? Nadir n'a rien dit et n'en a pas été fier, mais il a pensé : « Ce qui compte, c'est de réaliser ce que j'ai décidé de faire. En répondant à ce gars, je me soumettrais à son monde et perdrais un peu de ma liberté. » Deux minutes plus tard, Nadir se remettait paisiblement au travail.

Cette observation permet d'expliquer ce qui se passe souvent dans les familles maltraitantes. Pour une moitié d'entre elles, seul un enfant-cible est battu, alors que dans l'autre moitié tous les enfants sont rossés. Certains affrontent physiquement le parent violent, alors que d'autres s'en échappent à l'intérieur d'eux-mêmes : « Ma pauvre maman, tu n'es pas une adulte en me battant ainsi. Tu te laisses dominer par tes impulsions. » Vingt ans après, les enfants bagarreurs vont mal. Ils se sont adaptés au contexte maltraitant et leur riposte comportementale les y a soumis. Alors que les enfants maltraités qui se sont échappés dans leur for intérieur ont été malheureux, mais ça leur a permis de réaliser plus tard une partie de leurs rêves et d'ainsi réparer leur estime de soi piétinée.

Ce qui compte, c'est ce que signifie l'école ou l'aventure intellectuelle. Or la signification d'un objet n'est pas dans l'objet, elle est dans l'alentour qui l'attribue à l'objet. Samira était vraiment une petite fille difficile. Elle arrivait toujours en retard à l'école et elle provoquait l'enseignant. Toute forme d'autorité suscitait sa rébellion. Elle en était fière et se personnalisait comme ça. Un soir, entraînée par un garçon qu'elle aimait bien, elle a été violée au cours d'une tournante dans une cave aménagée à cet effet. Hébétée, elle a tout raconté à ses parents qui l'ont chassée de chez elle ! Dès lors, elle est devenue une « fille à cave » accablée par sa famille et méprisée par les garçons et les filles de son quartier. Mais dans son désespoir naissant, une surprise se fit jour : l'école changeait de signification. C'était le seul endroit désormais où on lui parlait gentiment : « Je m'accroche à l'école. Là au moins, j'ai un cadre stable [65]. » Avant le traumatisme, l'école avait la signification d'une contrainte emprisonnante à laquelle il fallait s'opposer. Après le traumatisme, le même cadre devenait sécurisant et lui permettait de retrouver l'espoir. Samira a su en profiter puisque aujourd'hui elle a obtenu un diplôme, vit entourée d'amis et travaille dans une institution culturelle.

Il n'est bien sûr pas question de dire qu'il faut traumatiser les enfants pour leur faire aimer l'école mais on peut proposer l'idée que c'est un faisceau de forces convergentes qui attribue à l'école sa signification. Samira a été sauvée par l'école qu'elle agressait auparavant, parce que, après son traumatisme, l'établissement est devenu pour elle un havre de gentillesse, un espoir de libération. Dans un environnement misérable, elle a pu se constituer un îlot de beauté et de liberté. Tous les enfants ne sont pas protégés par l'école et certains même y sont abîmés. Un enseignant peut métamorphoser un enfant par une simple parole ou un long regard. (« Métamorphose » signifie changement de forme, pas forcément amélioration.)

Lorsqu'un enfant maltraité arrive à l'école, il a presque toujours acquis un attachement insécure. Cette manière d'entrer en relation le périphérise. En arrivant, il ne sollicite pas ses camarades et quand on l'invite, il évite la rencontre. Malheureux, peu confiant en lui, il se place en périphérie, esquive le regard, suce son pouce, se balance ou fait semblant de s'intéresser à un objet latéral qui le protège du face-à-face [66].

Ce style comportemental attire sur lui l'attention d'un autre type d'enfant : le brutaliseur. Il y en a toujours eu dans les classes, mais ils étaient plus rares et l'on pouvait les fuir ou s'en protéger. Il semble qu'aujourd'hui les enfants maltraités chez eux font à l'école l'effet d'une proie dont le comportement atypique attire l'attention des brutaliseurs. Or la manière dont les enfants maltraités se défendent contre les brutaliseurs est un prédicteur fiable de troubles ultérieurs [67].

Une petite proportion d'enfants maltraités se rebelle à l'école contre le brutaliseur. Dans l'immédiat, ils sont fiers de leur affrontement physique qui leur permet de penser : « J'ai été courageux. Je lui ai tenu tête... On ne me brutalise pas comme ça, moi. » Ce scénario comportemental permet à l'enfant de se signifier à lui-même qu'il a, malgré tout, une certaine valeur.

L'enfant brutaliseur est presque toujours un enfant qui, lui aussi, est malheureux chez lui et qui redore son image en se faisant croire que sa force physique inspire la terreur. L'enfant maltraité qui lui tient tête malgré sa faiblesse adopte un peu la même stratégie de revalorisation.

Il se trouve que ces deux groupes évoluent vers l'échec scolaire et la désocialisation. Le bénéfice immédiat de la victoire des brutaliseurs et des brutalisés n'a pas le temps d'être sensé. Au contraire même, le groupe des enfants sereins s'en éloigne et les abandonne à leur mécanisme de défense aliénant. La surprise apparaît quand on suit longtemps ces groupes d'enfants. La plupart des petits maltraités à domicile qui se laissent brutaliser à l'école évoluent vers une longue et secrète dépression de souffre-douleur. Or c'est dans cette population d'enfants malheureux qu'on trouvera plus tard le plus grand nombre de résilients !

Les enfants brutalisés qui ont adopté le même style de défense que les brutaliseurs obtiennent un bénéfice psychologique de courte durée. Il faut sans cesse recommencer. Les enfants violents sont entourés et admirés par un groupe de sous-chefs, ce qui n'empêche pas leur rejet. Ce mécanisme de défense toxique révèle que ces enfants souffrent presque toujours de troubles de l'attachement [68] et le couple morbide s'entraîne mutuellement vers la désocialisation. Alors que le groupe des dépressions silencieuses et des souffrances secrètes met en place des mécanismes de défense constructifs : rêverie, intellectualisation, activisme, anticipation et sublimation. Si un adulte veut bien leur proposer un tuteur de résilience afin d'activer leurs compétences secrètes, on verra ces enfants revenir à la vie, jusqu'au moment où la dépression silencieuse s'effacera sous l'effet du travail affectif, intellectuel et social.

### Une défense légitime mais coupée des autres peut devenir toxique

En revanche, quand on abandonne ces enfants à leur souffrance muette, un grand nombre d'entre eux seront détruits par leurs propres mécanismes de défense [69]. Le déni qui les protège, les condamne au mutisme. La rêverie qui crée un monde intime de beauté risque de les couper du monde social. La peur des autres augmente leur absentéisme. Souvent une intellectualisation mal adaptée donne à ces enfants un aspect hébété à l'école, alors qu'ils sont très cultivés dans un domaine marginal.

Quand on laisse les brutalisés se faire rejeter, quand on néglige la dépression secrète des maltraités, ces enfants-là apprennent le désespoir et la douleur masquée. Mais quand on les aide à utiliser ce que leur souffrance a mis en place, alors un grand nombre d'entre eux deviendront résilients.

Ce qui a été mis en lumière ces dernières années, c'est que le pouvoir façonnant mutuel joue aussi dans une fratrie [70]. C'est souvent le frère ou la sœur aîné qui donne le style comportemental. Certains aînés ont un effet aspirateur qui entraîne les plus jeunes. L'identification à l'aîné peut induire des fratries d'artistes, de bons élèves, de bagarreurs ou de démissionnaires. À l'inverse, il n'est pas rare qu'un aîné profite de sa force et de son autorité pour établir une relation d'emprise qui frôle le sadisme et dont les parents souvent ne se rendent pas compte. De même un enfant malade dans la famille, en changeant les comportements des parents, change la bulle sensorielle qui entoure les enfants sains et les tutorise différemment.

Sylvaine avait 5 ans quand son petit frère trisomique est arrivé au monde. En moins de deux mois, la petite fille est devenue grave. Elle ne pouvait pas comprendre que le bébé allait connaître un développement particulier mais, dès que le petit frère est né, elle n'a plus eu les mêmes parents. Sa mère a cessé de travailler et, malgré sa plus grande présence au foyer, elle lui a moins parlé et moins souri. Comme il n'y avait plus qu'un seul salaire à la maison, le père s'absentait plus souvent pour travailler davantage et, quand il était présent, lui aussi était devenu grave et jouait moins avec sa fille. Alors Sylvaine s'est adaptée à ce nouveau monde et, sentant ses parents vulnérables, c'est elle qui a vieilli et les a pris en charge.

Un grand enfant est tutorisé par les gestes, les mimiques et les mots des adultes auxquels il est attaché. Il perçoit bien leurs interactions, mais n'accède pas encore aux valeurs de ses parents et ne se représente pas leur statut social. Mais quand le sens de l'existence change pour les parents, la sensorialité qui baigne l'enfant change à son tour.

C'est donc une constellation de forces façonnantes qui entoure l'enfant. Cet alentour change de forme à chaque événement : l'arrivée d'un bébé, un déménagement, le remplacement d'un enseignant, le malheur des parents et même leur bonheur peuvent modifier les tuteurs de développement. Cela explique les étonnantes variations psychiques chez un enfant après un événement qui, dans un monde adulte, a pu paraître anodin.

Quand les grands enfants sont façonnés par des institutions, deux styles relationnels extrêmes apparaissent fréquemment : le groupe « externalisé » qui agit facilement, parle, joue et s'oppose sans crainte aux adultes, et le groupe des « internalisés », silencieux, évitants ou même anxieux. Quand on observe ces enfants pendant un bref moment, on constate que les externalisés rient, bougent, parlent et paraissent à l'aise. Alors que les internalisés craintifs et périphérisés ne sont pas loin de la dépression.

Mais quand on les revoit vingt ans plus tard, les internalisés qui n'avaient pas réalisé de bonnes performances scolaires parce qu'ils étaient malheureux chez eux et à l'école ont souvent compensé leurs défaillances en développant un imaginaire qui leur a donné l'espoir et le désir de s'en sortir[71]. Les enfants peuvent se façonner entre eux car ils ont des pouvoirs analogues à ceux des adultes : identification à un aîné, relation d'emprise ou protection d'un petit plus vulnérable. Ils peuvent s'entraider ou s'entraver comme le font les adultes. L'école peut ainsi devenir un lieu d'ennui et de mauvaise influence, tout autant que de résilience[72] selon la signification que la communauté lui attribue.

Une tendance affective et comportementale peut devenir chez l'enfant une acquisition stable si le milieu est stable. Mais tout changement dans le système modifie la tendance et infléchit la trajectoire de son existence.

## L'école est un facteur de résilience quand la famille et la culture lui donnent ce pouvoir

Il vient de se passer à Baltimore, aux États-Unis, un phénomène qui peut illustrer cette idée. La plupart des garçons des quartiers noirs refusaient d'aller à l'école. Ils s'influençaient mutuellement, échappant au contrôle des parents, et remplissaient leurs journées avec un héroïsme de délinquants qui les menait souvent en prison. Jusqu'au jour où une mère, désespérée de voir son petit garçon âgé de 8 ans se rebeller avec fierté contre toute autorité et s'engager sur le chemin de la délinquance, a décidé de l'envoyer chez un cousin lointain, un Massaï d'Afrique. L'enfant en est revenu métamorphosé, gentil, coopérant, bon élève et heureux de l'être. Aujourd'hui, deux groupes sont apparus à Baltimore : ceux qui, restés aux États-Unis, continuent à s'orienter vers la prison, et ceux qui, après un simple séjour en Afrique, passent leur bac, apprennent un métier et ne s'en plaignent pas [73].

Des contextes structurants totalement différents attribuent à l'école des significations opposées. À Baltimore, les garçons ne luttent contre leur isolement qu'en rencontrant dans la rue d'autres garçons qui méprisent l'école. Les contacts avec les adultes ne sont que menaces et répressions. Les événements et distractions ne viennent que des autres enfants déjouant la police et affrontant le monde des adultes anonymes.

Chez les Massaï, un enfant n'est jamais seul. Et pourtant il se sent libre et protégé car les adultes lui apprennent à échapper aux dangers qui l'entourent. Dans ce contexte, la sécurisation vient des adultes qui donnent très tôt à l'enfant sa part de responsabilité. À Baltimore, le danger vient des adultes alors que, chez les Massaï, il vient du monde extérieur. Selon l'organisation du milieu, l'école peut devenir source de mépris ou de bonheur. Ce qui n'exclut pas du tout la participation des enseignants et des élèves, eux aussi acteurs à l'intérieur de ce système [74].

Quand nos enfants entrent à l'école, ils ont acquis dans 70 % des cas un attachement serein qui fait de cet événement majeur un jeu d'exploration, un plaisir de découverte. Mais dans un cas sur trois, les enfants insécurisés parlent peu, se périphérisent et souffrent sans le dire parce qu'ils ont appris à avoir peur des autres et éprouver de l'angoisse devant l'inconnu. Pratiquement tous les attachements insécures et même une partie des attachements sécures sont traumatisés. Seul un enfant sur deux vit la rentrée scolaire comme une aventure excitante. Le jour de la rentrée, ils ont déjà acquis une manière d'aimer et appris tous les préjugés de leur famille. Le façonnement se poursuivra sous l'effet conjugué des frères, des sœurs et des copains de quartier. L'attachement des petits ne se tisse pas forcément vers les professeurs les plus diplômés, ils leur préfèrent ceux dont la personnalité les sécurise et les dynamise. Mais la valeur et la signification qu'on attribue à l'école dépendent énormément des stéréotypes culturels.

C'est donc sous l'effet d'une constellation de déterminants que l'enfant devra se faufiler pour construire sa résilience. C'est pourquoi on ne peut pas attribuer un effet à une seule cause. On ne peut pas dire que l'école les massacre ou qu'elle les sauve. Les deux cas coexistent. Mais quand l'agression est extrafamiliale, les tuteurs de résilience sont intrafamiliaux comme dans ces « familles-bastions » qui savent protéger et dynamiser leurs enfants [75]. Quand une agression est intrafamiliale, c'est dans l'alentour qu'il faut chercher les tuteurs de résilience : oncle, tante, grands-parents, voisins, école, quartier et organisations culturelles.

Les enfants de mineurs vénéraient leur père, héros familial sacrifié sur l'autel de l'industrie. Ces hommes sont descendus dans la mine à l'âge de 12 ans, sachant qu'ils ne verraient pratiquement plus le jour, qu'ils ramperaient dans des galeries surchauffées, risqueraient l'accident ou le coup de grisou, ou mourraient lentement asphyxiés par la silicose. Dans ce contexte technique et industriel terrifiant, où l'agression était extrême, la famille prenait la valeur d'un havre protecteur et ces hommes, peu présents chez eux en temps réel, remplissaient l'imaginaire de la famille et de la culture qui les héroïsait.

## L'étrange foyer de l'enfant adultiste

Quand l'agression est insidieuse, on en prend mal conscience et pourtant le poids du quotidien structure l'enfant qui apprend, jour après jour, à s'adapter à une lente déchirure. Les enfants de parents vulnérables s'attachent à des tuteurs fragiles et s'adaptent à ce milieu en en prenant grand soin. C'est ce qui se passe quand on marche sur un sentier de montagne mal tracé. On fait attention aux éboulis, on écarte les pierres instables, on repousse les branches qui pourraient nous déséquilibrer. On peut appeler « adultisme » les mondes mentaux et comportementaux des enfants dont les parents sont vulnérables. Le terme n'est pas bon, c'est pour ça qu'il faut le garder, parce qu'il est insolite et désigne un comportement à la fois adaptatif et pathologique. Quand on accompagne psychologiquement une cohorte d'enfants dont les parents sont vulnérables, malades mentaux, handicapés physiques, emprisonnés ou alcooliques, on finit par découvrir, en les voyant évoluer, qu'une petite moitié d'entre eux (45 %) deviendront des adultes angoissés, avec une émotionalité instable et un monde intérieur souvent douloureux (contre 23 % dans la population générale). Mais quelques décennies plus tard, une grande moitié de cette cohorte donnera quand même des adultes sereins et épanouis [76], au prix d'une stratégie d'existence coûteuse : l'adultisme. La petite moitié qui a donné des adultes douloureux est celle qui a été laissée seule au contact du parent vulnérable. Alors que l'autre moitié qui a donné des adultes épanouis au prix de l'adultisme, a toujours trouvé en dehors de son étrange foyer un lien familial ou culturel où l'enfant pouvait cesser d'être parent de ses parents. Autour de ce foyer qui parentifiait l'enfant, il y avait des tuteurs de résilience : une école, un patronage, un groupe sportif, un oncle, une voisine, un groupe de copains où l'enfant pouvait reprendre sa place et ses développements.

On peut se demander par quel mystère les enfants de parents immatures deviennent si souvent des adultes prématurés. L'exemple de référence nous est donné par les enfants dont les parents sont morts. La mort, dans l'imaginaire de l'orphelin, donne à ses parents un statut particulier. Ces enfants sont les seuls à avoir des parents toujours jeunes, toujours parfaits et qui ne commettent aucune faute. Alors que ceux qui ont la chance d'avoir des parents réels devront inévitablement côtoyer un jour ou l'autre, un père fatigué ou injuste, une mère énervée ou délaissant son enfant pour s'occuper d'autre chose. Les mondes sensoriels où baignent ces enfants sont totalement différents. Celui qui a des parents réels, donc imparfaits, apprend à les affronter et à supporter leurs petites injustices et abandons, ce qui l'entraîne à une autonomie progressive. Alors que celui qui possède des parents morts, donc parfaits, se développe dans un monde clivé où le réel est cruel et l'imaginaire merveilleux. Quand ils ne s'effondrent pas, les orphelins deviendront dans plus de la moitié des cas des «petits adultes» comme on dit des «petits vieux». L'entourage chante leurs louanges, on dit qu'ils sont sérieux et raisonnables, et pourtant on éprouve un sentiment de gêne. Leur contact est trop poli, un peu verbeux, maniéré même. Leur sens des responsabilités nous impressionne et nous met mal à l'aise. Leur sourire affecté nous tient à distance, leur préciosité nous donne envie de les secouer et leurs comportements charmeurs sont dépourvus de charme. On a envie d'en dire du mal alors que leurs performances nous obligent à en dire du bien.

Je me souviens d'Antoine, orphelin précoce, très retardé mentalement après ses passages dans une quinzaine d'institutions où il n'avait jamais eu le temps de développer le moindre lien. Vers l'âge de 12 ans, il avait été enfin confié à une famille où il avait instantanément changé de comportement. Le couple vendait de la charcuterie dans un camion. Antoine devait s'occuper de la maison et des enfants du couple. Il considéra son travail avec un sérieux excessif. À l'école, Antoine devint bon élève alors qu'auparavant il était inhibé, débile presque. Quelques années plus tard, quand on a pu entrer dans son monde intime, on fut bien obligé de comprendre que cet adultisme constituait la forme socialement acceptable d'un attachement évitant, comme si Antoine s'était signifié à lui-même : «Je fais ce que j'ai à faire. Ils me gardent chez eux, et moi j'achète ma liberté en étant un enfant parfait, comme le sont mes parents morts. Nous sommes quittes, je pourrai donc un jour les quitter sans remords. » L'attachement évitant qu'Antoine manifestait, associé à son comportement parfait d'enfant recueilli, constituait en fait une stratégie d'existence adaptée à la situation. Antoine se payait son futur détachement, sa liberté à venir.

Cette stratégie d'ajustement ressemble à un contrôle interne excessif, comme si l'enfant avait dit : « Une soumission apparente achète ma liberté. Je renonce au plaisir immédiat afin que, plus tard, ces gens-là ne m'empêchent pas de jouir de la vie en me demandant de m'occuper d'eux. Je paie d'avance, j'aurai déjà donné. Mon anormale gentillesse prépare mon détachement. Le réel jusqu'à présent était désespérant, mais depuis qu'on m'a donné des responsabilités, je reprends espoir en découvrant que je peux dominer le réel. » Ce mode de réparation de l'estime de soi est coûteux, mais comment faire autrement ?

L'enfant adultiste n'est pas gentil pour se faire aimer, pour tisser un lien, comme le font ceux qui ont acquis un attachement serein, il est gentil pour se libérer. Mais ce mode de conquête d'autonomie n'apparaît qu'avec un certain type de parents. Antoine, au cours de ses placements précédents, avait manifesté différents types d'attachement qui dépendaient beaucoup de la famille d'accueil. Parfois, il avait été hébété, distant, n'ayant rien à dire ni à communiquer à ces gens-là. Il avait souvent été adorable, travailleur, attentif à ne pas peser trop lourd dans la famille qui l'hébergeait. Mais ce qui l'étonnait le plus, c'est qu'avant d'être placé chez les charcutiers, il avait passé quelques mois dans une famille très structurée où le mari et la femme, décorateurs tous les deux, l'avaient complètement inhibé. Antoine n'osait rien faire à la maison ni à l'école tant il était intimidé et tant il se sentait loin de ce couple qu'il admirait mais auquel il ne parvenait pas à s'identifier. En arrivant chez les charcutiers, le petit garçon de 10 ans avait été étonné par leur inculture et assez satisfait des charges dont on l'accablait. La force du couple des décorateurs le rendait honteux de lui-même, alors que la faiblesse et la brutale naïveté des charcutiers lui permettaient de se donner la preuve qu'il était capable de faire marcher une maison, de s'occuper des enfants et d'être bon élève.

L'adultisme permet de ne pas dépendre de l'amour des autres : « Je gouverne, je paye, je quitte. » On peut imaginer qu'en restant chez les décorateurs, Antoine aurait cherché à gagner son autonomie en apprenant très tôt n'importe quel métier qui lui aurait permis de partir en évitant de revoir cette gentille famille d'accueil. Alors que chez les charcutiers, l'enfant harcelé de travail avait recommencé ses rêveries et décidé de faire ce que souhaitait sa mère avant sa mort. « Mon fils sera un grand avocat. » C'est donc ce qu'il avait affirmé violemment, en le criant presque quand le « papa » charcutier avait voulu lui apprendre son métier afin qu'Antoine devienne leur « bâton de vieillesse ». Travailler précocement l'aurait enchaîné à la famille des charcutiers, alors que le même travail précoce l'aurait libéré de la famille des décorateurs. Les stratégies de résilience auraient été différentes et le même événement de travail précoce aurait pris une fonction opposée selon la famille d'accueil.

## L'oblativité morbide, don excessif de soi, comme une rançon pour la liberté

C'est presque une règle qu'un parent immature provoque la parentification de l'un de ses enfants [77]. Et c'est souvent même grâce à ce processus coûteux que les enfants qui se développent dans des familles à transactions incestueuses parviennent à s'en libérer et à devenir résilients. Lorenzo avait 14 ans quand il a surpris son père avec sa sœur dans le lit parental. Après quelques semaines d'orages intérieurs, il a décidé d'aller au commissariat où l'on a convoqué le père. L'homme est arrivé surpris, ahuri par la dénonciation. Il a donné tant de preuves de son dévouement que c'est le grand garçon qui a dû consulter un psychiatre qui lui a prescrit des neuroleptiques. Deux ans plus tard, la sœur a surpris son père avec la cadette. Le témoignage associé des deux adolescents a cette fois envoyé le père en prison. Lorenzo n'a pas éprouvé de sentiment de victoire. Au contraire même, il s'est senti coupable de l'effondrement économique de sa famille. À cause de lui, on était pauvre, à cause de lui ses sœurs ne pourraient pas poursuivre leurs études. Il a donc trouvé un travail de maçon et s'est occupé de la maisonnée, de la vie domestique et des papiers pendant que ses sœurs étudiaient.

Le parent incestueux n'est pas un parent fort, sécurisant et dynamisant puisqu'il n'a pas accès au sentiment de parentalité. Il ne se sent pas père et voit sa fille comme une petite femme. Face à un parent fort un enfant s'affirme en s'opposant, alors que Lorenzo, face à un père immature et une mère occupée ailleurs, a découvert sa force en prenant en charge la maison et en devenant « père » de sa mère et de ses petites sœurs. Le bénéfice immédiat de son adultisme lui a permis de soulager sa culpabilité et de restaurer son estime de soi blessée en secourant les faibles. Par cette stratégie coûteuse, l'enfant redevenait estimable et vertueux.

Les cheminements de la justice sont parfois surprenants. Le père du petit Claude avait tué sa mère en présence de l'enfant. Le petit n'avait pas dit un mot quand on l'avait placé dans une institution sans chaleur. Cette froideur affective lui a bien convenu puisqu'elle lui a permis de s'adapter sans avoir à faire l'effort des relations humaines. Après quelques mois d'hibernation, il fut confié à une jeune tante célibataire et strip-teaseuse. Comme elle travaillait la nuit et dormait le jour, l'enfant s'ennuyait et regrettait le morne orphelinat. Lorsqu'un jour sa tante, décidée à devenir bourgeoise, a demandé au petit garçon de choisir entre deux prétendants, l'un gai et sportif que Claude aimait beaucoup, l'autre triste et ennuyeux, c'est celui-ci que l'enfant désigna parce qu'il avait un avantage indiscutable : une luxation de la hanche ! Jamais l'enfant, rendu trop responsable par sa tante immature, n'aurait pu infliger à cet homme une blessure affective. Il souffrait moins en s'infligeant cette privation à lui-même.

On ne gagne pas sa liberté impunément et Claude comme Lorenzo, en travaillant à devenir des petits hommes moraux, se préparaient à une oblativité morbide tant elle était excessive. Celui qui s'offre à satisfaire les besoins d'autrui au détriment des siens propres n'appartient pourtant pas à la famille de Masoch puisqu'il ne recherche pas son plaisir par cette stratégie. Il gagne l'estime de soi, mais pas la jouissance. « Celui que j'aime, c'est le sportif, celui qui rit tout le temps. Mais je n'aurais pas supporté d'être un enfant qui fait le mal. Je renonce à mon plaisir (alors que Masoch le cherche), pour me construire comme un homme moral. » Claude aurait pu parler ainsi.

Le réel, on ne peut que le supporter et s'y adapter sous peine de mort, mais un enfant ne sait même pas comment faire pour l'affronter. Il a besoin d'un autre pour apprendre à vivre et acquérir quelques habiletés relationnelles qui caractériseront son style affectif. Alors il pourra devenir facile ou difficile à aimer, entreprenant ou inhibé. Être adulte, c'est avoir acquis une habileté à satisfaire les besoins réels en en faisant un plaisir de représentation. Mon organisme a besoin d'eau (c'est le réel), je vais la mettre dans une bouteille bleue (c'est la représentation du réel).

« La maturité psychique est le résultat d'un développement mental tutorisé [78]. » Freud, pour souligner l'aspect pathologique de l'enfant-adulte, avait parlé de « prématurité du moi » et Ferenczi avait même souligné la maturité hâtive des « fruits véreux [79] ». J'ai l'impression que la morbidité de l'adultisme est plutôt une adaptation à une pression familiale ou sociale. On peut se demander pourquoi certaines familles tutorisent des développements immatures alors que d'autres provoquent des maturités précoces. Il semble que, lorsqu'un milieu fait régler toutes les contraintes du réel par des figures d'attachement, l'enfant gavé n'en fasse pas de représentation. Il ne lui est pas nécessaire d'apprendre les habiletés relationnelles puisque le réel est déjà satisfait. Quand le milieu fournit tout, l'enfant ne se rend pas compte qu'il a besoin d'eau. Un adulte a besoin d'eau et de bouteille bleue. Un gavé ne désire ni l'un ni l'autre. Un carencé a tellement besoin d'eau qu'il se moque de la couleur de la bouteille. Voilà comment des milieux dissemblables tutorisent des développements différents en conciliant le réel avec sa représentation.

## Se dégager du sacrifice pour gagner son autonomie

Quand l'enfant déchiré se soumet à la blessure parce que personne ne lui a dit qu'on pouvait la recoudre, il souffre de psychotraumatisme. Certains enfants s'adaptent à cette entame en prenant en charge tous les problèmes de leur petit monde, une sorte d'activité autocentrée qui ne serait plus dirigée vers leur propre corps mais vers leur entourage proche. Quand le trauma tombe sur un enfant âgé, celui-ci y réagit moins par des balancements ou des autocontacts incessants, comme le ferait un tout petit, qu'en prenant en charge tous ceux qui l'entourent. Ces conduites peuvent avoir dans un premier temps un effet protecteur, mais si elles durent trop longtemps, elles deviennent une entrave au développement de sa personnalité. Il faut donc se dégager de l'adultisme et quitter cette protection pour devenir résilient. Ce processus de résistance-résilience [80] est habituel lors des fracas de l'existence. D'abord, il faut affronter et s'adapter, quel qu'en soit le prix. Puis, quand tout se calme, il faut s'en dégager pour reprendre un développement et faire quelque chose de sa blessure, lui donner sens. L'hypermaturité précoce n'est pas une avance, c'est plutôt un retard, mais après ce long détour, une résilience devient possible. « Faire l'adulte » permet d'échapper à l'infériorisation de l'enfant blessé, mais faire comme si j'étais une maman ou comme si je pouvais décider comme un petit homme est un plaisir dangereux, car ce jeu du « comme si » enseigne à l'enfant un rôle qui ne correspond pas à sa personnalité. L'enfant blessé, sachant que « le spectacle de l'autre est toujours un langage [81] », met en scène son propre personnage. Il joue le rôle de celui qui tient à ne plus être enfant parce que c'est trop dur. Faire l'adulte permet de ne plus être seul. Mais le petit comédien récite un rôle qu'il n'éprouve pas puisqu'il n'aime pas être adulte et, souvent même, il n'aime pas la personne à laquelle il se consacre.

Un mercredi après-midi, Nicolas avait dû renoncer à un match de football avec l'équipe des minimes de son lycée pour emmener en promenade au square les enfants de sa famille d'accueil. Le grand garçon avait posé un livre de classe sur la poussette et tentait d'apprendre sa leçon en surveillant les enfants, quand un couple de personnes âgées, charmé par cette image, se mit à le complimenter. Nicolas fut surpris par les injures ordurières qui s'échappèrent de sa bouche. Il voulait bien faire le ménage à cinq heures du matin, renoncer au football, garder les petits, étudier pour réussir au lycée, mais il était furieux d'être étiqueté « gentil ». Il ne voulait pas être ce personnage dont le rôle lui apportait simplement une stratégie de libération : « Je m'adapte, je paye, je suis quitte... Ce long détour est le seul chemin qui me permettra un jour de devenir moi-même. »

Comment faire autrement ? Nicolas avait souvent vu dans les institutions les garçons rebelles se désocialiser en fuguant, en volant et en se bagarrant. Ceux-là perdaient leur liberté en s'offrant quelques brefs instants de revalorisation : « Vous avez vu l'exploit que j'ai réalisé en volant, le courage que j'ai eu en me bagarrant ? » Brève victoire, trop cher payée. L'adultisme de Nicolas devenait pour lui un souterrain lentement creusé, mais qui, de jour en jour, le menait à l'air libre.

Pas toujours ! À l'adultisme libérateur s'oppose l'adultisme des enfants trop attachés à un parent vulnérable. Prisonniers de l'immaturité de l'adulte, ils n'osent pas s'en détacher. La liberté leur fait honte, comme s'ils abandonnaient un proche, un enfant.

La mère de Pierre avait dû travailler comme infirmière pour payer ses propres études de médecine. Elle était vive, sympathique, active mais incapable de planifier la moindre journée de travail. Elle oubliait les rendez-vous, perdait les papiers administratifs, partait en vacances le jour où les associés de son cabinet l'attendaient chez le notaire. Très tôt, Pierre avait appris à la prendre en charge. L'enfant remplissait le frigidaire, rangeait les dossiers et se disait qu'un jour, il faudrait bien qu'elle lui dise qui était son père. Après le bac, il s'est payé des études de lettres en étant voyagiste car sa mère avait déjà beaucoup de dettes. Un jour, elle a dit à son fils en pleurant qu'elle avait dû abandonner sa voiture trop vieille et que, par conséquent, elle ne pourrait pas faire ses visites du lendemain. Le jeune a aussitôt obtenu un prêt pour étudiant, acheté une voiture à sa mère et travaillé encore plus pour rembourser ses dettes. À cause de l'immaturité de sa mère, Pierre se trouvait face à un choix impossible : quand il l'entourait, il compromettait son propre épanouissement et quand il s'en éloignait pour mieux travailler, il était torturé par la culpabilité. Quelle que soit sa décision, elle était douloureuse. Mais ce qui était frappant, c'est de voir à quel point le fait de materner sa mère développait en lui un hyperattachement anxieux. Il n'est pas rare d'observer le même phénomène quand une mère s'occupe d'un enfant vulnérable, malade ou difficile. Les soins donnés au faible développent l'attachement et valorisent celui qui donne.

L'adultisme est un long détour qui peut mener à la résilience à condition que l'enfant s'en serve pour se libérer et devenir responsable de lui-même. Quand cet enfant trop sage et trop dévoué se laisse emprisonner par celui qu'il protège, ils sombrent tous les deux. Mais quand le fait d'avoir aidé l'adulte a protégé l'enfant et lui a permis de s'engager dans la réalisation d'un projet personnel, alors, jugé ingrat par les voisins qui l'admiraient auparavant, il pourra reprendre un développement personnel.

C'est encore le contexte qui sert d'aiguillage. Bernadette, Éric et Irène s'occupaient beaucoup plus de leur mère que de leurs copains d'école. Chaque enfant était né d'un père différent qui avait disparu avant leur naissance. La mère vivait d'aides sociales et ne quittait pas son lit où elle recevait de temps à autre un amant de passage. Les enfants s'occupaient de tout et passaient l'essentiel de leur temps à réconforter leur mère. Jusqu'au jour où Bernadette est tombée amoureuse... d'un Noir. Comme l'affaire devenait sérieuse, il a bien fallu le présenter à sa mère qui n'a pu retenir des insultes racistes. Dans sa fureur, elle a chassé sa fille qui, très malheureuse, s'est d'abord souciée de sa mère et a demandé à son frère et à sa petite sœur de s'en occuper. Quelques semaines plus tard, Bernadette découvrait avec étonnement la légèreté de vivre.

Il n'est pas rare que la réussite scolaire de l'enfant adultiste humilie le parent qu'il a pris en charge. Cet enfant trop sérieux passe pour un donneur de leçons. Il explique la marche du monde de manière un peu condescendante, fait la morale et travaille bien à l'école : il agace. Surtout quand les autres enfants de la fratrie se comportent comme des enfants normaux, pouffent de rire, font des bêtises et travaillent à l'école... parfois. Alors, certains scénarios comportementaux de parents vulnérables s'acharnent non verbalement à faire échouer l'enfant qui les aide. La mère peut « oublier » de donner l'argent qui aurait permis de payer l'inscription à un examen. Elle peut « perdre » le dossier de demande de bourse. Le père immature peut s'arranger pour arriver en retard à la demande d'embauche à laquelle il avait promis d'accompagner son fils. Les scénarios d'échec sont nombreux, variés et tous « accidentels », mais ils témoignent en fait d'un désir d'entraver cet enfant trop gentil dont l'échec retardera l'autonomie. Il s'agit de le garder, dans le cas des hyperattachements anxieux ou de le faire échouer quand sa réussite humilie les parents immatures.

Car c'est bien la conquête de l'autonomie qui mène à la résilience. Quand un développement est normal, l'enfant s'éloigne de plus en plus de la source d'attachement qui, imprégnée dans sa mémoire, lui donne la force de la quitter. Quand il y a eu un trauma, l'évolution vers la résilience devra faire la même conquête, mais elle implique des stratégies plus coûteuses puisqu'il s'agit de reprendre un chemin malgré la déchirure et dans des circonstances adverses.

Dès l'âge de 6 ans, un enfant poursuit son développement le long de tuteurs extrafamiliaux, en grande partie fournis par la famille élargie, l'école et le quartier. Si l'enfant adultiste trouve en dehors de la charge de son foyer un copain, un enseignant, un moniteur de sport ou un partenaire affectif, il se métamorphose souvent.

C'est un copain de lycée qui a mis Antoine sur le chemin de l'autonomie et lui a permis de se libérer des gentils et pesants charcutiers. Roland avait 12 ans quand Antoine en avait 11. Il avait acquis un attachement sécure malgré le divorce de ses parents. La mère autoritaire et travailleuse dirigeait un atelier de couture, tandis que son père poète-instituteur consacrait sa vie à créer de belles rencontres, des dimanches à la campagne et de jolies discussions à table. De tels parents ne pouvaient pas s'entendre et pourtant chacun avait légué à Roland un riche héritage psychique. La force venait de la mère et la beauté du père. Dès l'entrée au lycée, Antoine avait repéré Roland, dont l'assurance, la gaieté et les dribbles au football l'avaient fortement impressionné. Les deux garçons habitaient le même quartier. Ils rentraient ensemble le soir et se lièrent d'amitié. Malgré sa force apparente, Roland se sentait l'enfant de ses parents. Sa mère désirait qu'il réussisse dans la vie, alors il n'hésitait pas à la faire veiller pour qu'elle lui fasse réciter ses leçons. Roland en retour était impressionné par l'apparente maturité d'Antoine qui savait déjà gouverner une maison. Grâce à cette amitié, Antoine fut invité chez le père poète-instituteur où soudain il se sentit enfant. Il apprit à cuisiner, à boire de bons vins, à faire des bêtises, à chanter des chansons coquines devant le père qui jouait les vertus indignées. Et tout ce monde de « faire-semblant » créait un sentiment de bonheur véritable. Antoine découvrait que, chez les braves charcutiers, il se sentait constamment accablé, alors que son amitié avec Roland lui faisait comprendre qu'un enfant a le droit de se laisser guider. Bien sûr, Antoine n'aurait pas pu rencontrer n'importe qui. Son amitié avec Roland n'avait été possible que parce qu'il était sensible à ce genre de compagnon. Dans le même quartier, il avait croisé sans vraiment les rencontrer des garçons qui ne parlaient que de bagarres et de larcins, ce qui lui rappelait les garçons désocialisés des institutions où il était passé. Quand, quelques années plus tard, Roland s'est inscrit à la faculté de droit avec le rêve de préparer la grande école dont rêvait sa mère, Antoine se demanda pourquoi il s'y inscrivait aussi. En lui servant de tuteur de résilience, Roland avait permis à Antoine de cheminer vers l'autonomie et de s'arracher à sa condition d'enfant dévoué aux autres.

Cette réaction de suivisme est une preuve que les enfants adultistes ne sont pas adultes. Ils sont raisonnables, sérieux et trop tôt responsables afin de se sauver du désespoir, mais ils ne sont pas accomplis. En fait, il s'agit d'un trouble de la parentalité : ils ne sont pas à leur place dans leur famille. À l'époque où ils sont adultistes, ils se soumettent... aux faibles ! Mais comme ils sont avides de rencontrer des compagnons tuteurs de résilience, ils parviennent à se libérer de cet excès d'oblativité et à reprendre un type de développement. Cette recherche d'un tuteur de résilience affective en dehors de la famille fait de leur adolescence une période critique. Avides de rencontrer un partenaire mieux charpenté qu'eux, « ils se comportent comme l'enfant qu'ils n'ont pas été [82] ». On observe alors un étrange patchwork de comportements parentaux mélangés à des demandes infantiles. Mais dans les deux cas, c'est la vie de l'autre qu'ils mènent.

Micheline et sa sœur avaient eu une enfance misérable à la Martinique. Le père était mort d'une maladie mystérieuse. La mère et les deux petites filles avaient réussi à se faire rapatrier en France. Les deux fillettes avaient totalement pris en charge leur mère désemparée. Elles s'occupaient de tout, la réconfortaient sans cesse et parvenaient quand même à faire de bonnes études d'infirmière. Quand Micheline a rencontré un opticien, elle s'est sentie sécurisée par la robustesse de ce garçon pour qui tout était clair. Mais elle ne savait pas à quel point, en épousant cet homme, elle épouserait aussi sa famille. Lorsque la belle-mère est tombée malade, Micheline s'en est occupée avec un dévouement anormal. Pour lui remonter le moral, elle lui a même confié le bébé qu'elle venait de mettre au monde et a beaucoup souffert de cet abandon-cadeau. Totalement infantile au contact de son mari, elle parentifiait sa belle-mère au point de s'épuiser. Elle s'occupait des deux foyers et de son métier qui n'est pas des plus légers. Jusqu'au jour où ce qui devait arriver arriva : elle fit une dépression de surmenage. C'est une règle que les oblats se dépouillent de leurs biens pour les donner à d'autres. Ils en sont heureux mais parfois ils s'effondrent, épuisés. Micheline, obligée de se soigner lors de sa dépression, a eu honte d'aller mieux tandis que sa belle-mère souffrait encore. À peine guérie, elle a repris sa stratégie relationnelle d'oblativité excessive. Ce n'est qu'après la troisième rechute que le mari, exaspéré par tant de bonté, est intervenu pour obliger sa femme à s'occuper d'elle-même. Alors, en bonne petite fille, elle a obéi et a osé devenir heureuse.

La résilience est passée, pour cette femme, par la dépression qui l'a contrainte à la métamorphose, avec l'aide de son robuste mari. Ce cheminement n'est pas rare. Nombre d'épanouissements ont commencé après un abattement qui constituait l'aboutissement d'une manière de vivre coûteuse et d'un mécanisme de défense non respectueux de la personnalité du blessé.

# II

## LES FRUITS VERTS
## OU L'ÂGE DU SEXE

# La narration n'est pas le retour du passé

Le cheminement le plus sain et le moins coûteux est constitué par la narrativité. Cette compétence au récit de soi est nécessaire pour se faire une image de sa propre personnalité. Ce travail provoque un étrange plaisir. On comprendrait sans peine la délectation provoquée par le rappel de souvenirs heureux, comme cela arrive quand on est en groupe et que l'évocation des moments joyeux permet de provoquer un retour de bonheur. Ainsi se tisse l'affection entre ceux qui partagent un même souvenir. Mais se rappeler sans cesse un épisode douloureux, faire revenir les images tristes, retrouver les dialogues conflictuels et en imaginer d'autres provoque une déroutante émotion de bienheureux chagrin. Et c'est probablement cette étrangeté qui permet de comprendre la fonction de la narration intérieure : reprendre en main l'émotion provoquée par le passé et la remanier pour en faire une représentation de soi intimement acceptable.

Ce travail du récit possède un double effet. D'abord, sur la fonction d'identité : « Je suis celui qui s'est échappé d'une maison de correction, a envoyé son père en prison pour protéger ses sœurs... » Puis une fonction de remaniement des émotions : « J'arrive maintenant à supporter le souvenir de l'armée chilienne chassant ma mère et ses enfants. J'éprouve même, vingt-cinq ans plus tard, une indéfinissable fierté à évoquer ce souvenir douloureux, depuis l'Espagne, mon pays d'accueil, qui m'a donné d'importantes responsabilités. » La narrativité permet de se constituer en sujet intime et la narration invite à prendre sa place dans le monde humain en partageant son histoire. L'intimement acceptable s'associe au socialement partageable. Après ce travail, le blessé peut se regarder en face et réintégrer la société.

Il ne s'agit donc pas du retour du passé puisque c'est impossible. Quand je raconte ma visite du palais du roi Michel en Roumanie, je ne fais pas revenir le souvenir des quatre heures de route vers Constanza. Je me rappelle à peine l'épaisseur de la forêt, la lourdeur du temps et la lenteur du voyage. Je condense quelques images significatives pour moi : l'isolement du château, le changement baroque de style à chaque pièce et je sémantise ces dessins afin qu'ils me permettent, en un seul flash, d'évoquer ce voyage en Roumanie.

Quant à la vérité des souvenirs, ils sont vrais comme le sont les chimères. Tout est vrai dans ce monstre : le poitrail est d'un lion, le ventre d'une chèvre et les ailes celles d'un aigle. Et pourtant l'animal mythique n'existe pas dans le réel. Il existe dans une représentation que le locuteur se fait du réel et qu'il partage avec ses compagnons culturels.

Le résultat de ce double effet, c'est que les récits intimes ou culturels peuvent construire dans le monde psychique un équivalent d'attachement sécure quand les liens précoces l'ont mal tissé. Alors que l'attachement précoce s'imprègne dans le tempérament de l'enfant à l'insu de ses parents, le récit, lui, peut être ouvragé intentionnellement par le travail d'une psychothérapie, celui d'une créativité artistique ou par un débat socioculturel. Nous sommes tous contraints à un tel cheminement pour construire notre identité et prendre une place dans le groupe. Les blessés de l'âme doivent le faire avec le traumatisme dans leur mémoire et le récit qu'ils en font sous le regard social, ce qui ne veut pas forcément dire rendre public une blessure intime.

## Tout récit est un outil
## pour reconstruire son monde

Certains, gravement blessés ou mal entourés, démissionnent et demeurent hébétés, confus, soumis au passé, ruminant la déchirure toujours vivante. Alors que d'autres parviennent à la « création d'une histoire intérieure nécessaire à la survie psychique [1] ». Le récit met en scène des faits réels dont la signification dépend de ceux qui en parlent. Georges Perec ne voit jamais disparaître ceux qui l'entourent, mais, un jour, c'est leur disparition qu'il voit. Pendant la Seconde Guerre mondiale, on a rarement vu disparaître les Juifs, mais, un jour, on a compris qu'ils avaient disparu. Georges se souvient que son père était là, en uniforme de soldat français de la

Légion étrangère. Et puis un jour... il n'est plus là. Il se souvient que sa mère l'a accompagné à la gare du Nord, et puis... elle n'est plus là. Son monde se vide sans traumatisme apparent. La déchirure est énorme, invisible, et l'enfant ne comprend rien parce qu'on ne peut pas observer quelque chose qui n'est pas là. Alors, pendant ses quatre années de rendez-vous avec le psychanalyste, il « effrite la carapace de ses refuges ratiocinants » et retrouve des souvenirs qui, pour lui, deviennent des événements réparateurs de son immense déchirure : « J'aurais aimé aider ma mère à débarrasser la table de la cuisine [2]. » Vous pensez bien que pour aimer un tel souvenir, il faut justement ne pas avoir eu de mère. Un événement n'est pas ce qu'on peut en voir ou en savoir, il est ce qu'on en fait dans le besoin qu'on a de lui pour devenir quelqu'un. La plus fade banalité porte en elle la semence d'un grand événement intérieur, à condition de proposer au blessé un lieu et une procédure où il pourra plonger à la recherche des souvenirs perdus. L'événement est ce que nous faisons de ce qui nous arrive : un désespoir ou une gloire.

En fait, c'est dans le regard ultérieur, dans la représentation du fait que naît l'émotion provoquée par l'événement. Ce que le blessé pense de ce qui lui est arrivé et le sentiment qu'il en éprouve dépendent autant du récit qu'il s'en fait que du récit qu'il en fait pour les autres, auxquels il faudra ajouter le récit que ces derniers en font. C'est dans la confluence de tous ces mondes intersubjectifs que naît le sentiment attribué à l'événement.

La narration peut façonner l'émotion de manière très différente selon l'attitude de l'auditeur et le contexte culturel. Le blessé peut entendre : « Vous exagérez », « on n'a pas de preuves de ce que vous dites », « mon pauvre vieux, avec ce qui vous est arrivé vous êtes foutu pour la vie », « mon pauvre petit, n'ayez plus peur, je suis là », « donnez-moi des détails de toute cette horreur, je trouve ça délicieux », « vous l'avez bien cherché », « je vous admire de vous en être sorti »... Inventez une phrase, n'importe laquelle, et soyez sûrs qu'elle a été prononcée. Ce qui n'empêche que la structure narrative du blessé racontant son histoire révèle le sentiment qu'il éprouve.

Mais l'émotion de son monde intime vient de sources totalement différentes : sa propre sensibilité imprégnée dans sa mémoire par l'affectivité de ses proches, la signification qu'il attribue à l'événement et le sens qui vient de son contexte culturel.

Antoine a été fortement choqué quand le charcutier lui a donné la montre de son père. Elle était pourtant belle cette montre de gousset avec sa chaînette et son capuchon ciselé. Mais le garçon qui voulait se libérer de sa famille d'accueil avait été très angoissé quand le brave charcutier avait souhaité lui transmettre son métier. Le cadeau signifiait que le père d'accueil désirait que l'enfant poursuive la chaîne et continue à travailler pour lui servir de « bâton de vieillesse », comme il avait dit. Dans un tel contexte, le don de la montre signifiait l'inscription d'Antoine dans la filiation des charcutiers. « Mon père était charcutier. Je te donne sa belle montre, comme il me l'a donnée. Je continue ainsi le passage du témoin à travers les générations. » Or c'est exactement ce qu'Antoine craignait : travailler toute sa vie pour cette famille alors que son adultisme lui permettait de s'en libérer. La jolie montre devenait angoissante. Et, en effet, le comportement d'Antoine a changé après l'événement du cadeau : il s'est glacé et a pris ses distances.

Alors, pourquoi faire des récits ? Imaginons qu'un jour, vous soyez en vacances. Il y a eu un attentat incroyable aux États-Unis, le 11 septembre. On ne parle que de ça, on a l'esprit rempli par cet événement inouï. Sur la plage, vous faites la queue devant un marchand de glaces. Lorsque soudain un compère scientifique surgit et pendant deux minutes fait un récit incohérent où il est convenu tout de même de prononcer trois mots : « Drapeau », « eau bleue », « divine musique ». Puis il doit s'enfuir.

Pourriez-vous ne rien dire, n'exprimer aucune émotion ? La surprise a créé en vous une sensation d'événement. Vous souriez, vous faites l'étonné et vous vous risquez à quelque interprétation. Mais quand on recueille vos récits, on voit lentement apparaître une régularité : l'interprétation que vous donnez de cet événement insolite parle en fait de votre contexte culturel [3] ! Quand on est sur une plage, on s'attend à ce que les gens aient des « comportements de plage » : se traîner par terre, se baigner, jouer au ballon, ou faire la queue pour acheter une glace. Si quelque chose que vous n'attendez pas surgit, cela provoquera une petite déchirure dans l'attente que vous avez d'une telle situation. Alors pourquoi faut-il que vous disiez : « Il a parlé de " drapeau ", il voit des attentats partout. » D'autres témoins ont dit : « J'ai entendu " eau bleue " : il pense qu'il y a une guerre bactériologique. — Mais non, pas du tout, ont rétorqué certains. Par les temps qui courent, il est tellement stressé qu'il fait un délire mystique. Il a des hallucinations de " musique divine ". » Vous avez correctement perçu l'aspect insolite du scénario non adapté au contexte de la plage, mais pour calmer votre petite bousculade mentale, vous avez eu besoin de donner sens à cette incohérence. Ainsi, vous avez intégré l'événement dans le contexte culturel qui vous tracasse, vous – une digestion d'événements en quelque sorte. Sans l'intégration du fait dans un récit cohérent et adapté à votre contexte, vous resteriez interloqué, interdit de parole, empêché de vision et vous ne pourriez pas répondre à ce monde chamboulé. Aucune conduite claire ne pourrait ramener la paix en vous.

Un récit est une représentation d'actes sensés, une mise en scène de séquences comportementales, un agencement d'images que les mots réorientent. Si le fait de dire « drapeau », « eau bleue » et « musique divine » n'a pas de sens, l'observateur sera désorienté. En revanche, si le contexte culturel permet d'interpréter et de donner sens à ces incongruités, alors l'observateur sera réorienté. Toute perception d'événement exige d'emblée un acte d'absorption psychique. Et dès que le sujet peut attribuer un sens, il se sent mieux parce que son monde devient clair, orienté et qu'il sait ce qu'il doit y faire. Dans la fulgurance de la perception, ce que l'on voit et qu'on entend est déjà imprégné de notre subjectivité, de notre histoire intime et de notre contexte culturel.

Les récits « peuvent être " réels " ou " imaginaires " sans rien perdre de leur force en tant qu'histoires [4] ». Ce qui compte, c'est que l'histoire propose une raison. « Il a crié " drapeau " à cause de l'attentat pour nous prévenir qu'il a vu quelque chose. » Tout récit est un outil pour construire son monde. Et si l'on se sent mieux dès que l'on peut voir ce que l'on est en train d'y faire, c'est parce que l'orientation, le sens attribué à ce que l'on perçoit, nous fait quitter l'absurde pour nous donner raison.

## Se débattre puis rêver

Nous sommes tous contraints à ce travail de récit de soi pour nous identifier et prendre une place dans notre culture, mais certains récits sont difficiles à faire. Tout ce qu'on peut dire n'est pas équivalent : « Moi, mon papa, il a acheté un vélo », n'est pas synonyme de : « Moi, mon papa, il a été fusillé devant moi. » On peut dire, en retrouvant un doux plaisir : « J'ai découvert l'émotion sexuelle en embrassant une cousine sur la joue, très près des lèvres. » Mais comment avouer : « J'ai découvert le plaisir sexuel à l'âge de 11 ans, le jour où mon père est entré dans mon lit : " Honte, plaisir, angoisse et peur " [5]. » Ce qui chasse un enfant de sa culture, c'est ce que vous laissez échapper, une mimique d'horreur, un sourire qui se fige.

Quand on vit dans la détresse, tout sauve-qui-peut donne un espoir fou. Comment faire autrement ? La rêverie permet de remplir son monde intime avec un sentiment provoqué par l'histoire qu'on invente. On se sent mieux, le passé s'allège, le réel s'adoucit. Mais cette rêverie est un moyen de protection, un équilibre fragile. Pour devenir résiliente, la rêverie doit côtoyer l'idéal du moi. C'est un moment intime où nous mettons en scène dans notre espace du dedans une saynète imaginée, comme un échantillon de nos désirs : « Il ferait comme ça... alors je lui dirais...» Ce que le rêveur « projette devant lui comme idéal du moi est le substitut du narcissisme perdu de son enfance [6]». Quand un nourrisson éprouve une émotion, il l'exprime de toutes ses forces, sans négociation avec son entourage. Ce n'est que lorsqu'il comprend que tout réel est une contrainte et qu'il faut tenir compte du monde des autres que l'enfant renonce à sa toute-puissance. Mais pour supporter cette limitation, il invente un monde de représentations intimes où il continue à réaliser ses désirs. Alors il éprouve les sentiments que déclenchent les rêves. Quand un adolescent rêve qu'un jour il aura le prix Nobel, que le monde entier lui en sera reconnaissant et que malgré son immense succès, il restera d'une simplicité merveilleuse, le jeune rêveur se régale de sa propre image qu'il invente.

L'attitude résiliente consiste à se demander : « Qu'est-ce que je vais faire de ma blessure ? Est-ce que je vais de temps à autre me réfugier dans la rêverie et y puiser des pépites de beauté qui me permettront de rendre supportable le réel et parfois même de l'embellir ? » Un mode de défense non résiliente dirait : « Je vais vivre dans un monde d'images et de mots coupé de ce réel intolérable. Que se passe-t-il en moi ? Comment se fait-il que j'invente des récits d'un moi merveilleux alors que je suis bien obligé de constater que mon réel est minable ? » Les deux versants de l'idéal du moi sont proches l'un de l'autre. Une simple rencontre, un lieu d'expression ou un événement pourront aiguiller le blessé vers la créativité résiliente ou vers la mythomanie qui mêle la gloire imaginaire à l'humiliation par le réel. En ce sens, la créativité serait une passerelle de résilience entre la rêverie apaisante et un imaginaire à construire. Alors que la mythomanie, échec de la résilience, fabriquerait simplement un masque pour la honte.

Quand le réel nous désespère, la rêverie constitue un facteur de protection. J'ai eu l'occasion de rencontrer un écrivain polonais qui avait été déporté à Auschwitz pour un conflit minime avec un officier allemand. Rendu stupide par le réel, hébété par ce qu'il voyait, il plongeait se réfugier dans des phrases de Proust, il cherchait à se les rappeler comme on se débat pour ne pas se noyer. Le rappel d'une seule phrase lui prenant un quart d'heure, il parvenait grâce à Proust à se créer des îlots de beauté dans un réel terrifiant. Dans ce contexte-là, il s'agissait d'un facteur de protection puisque la rêverie se substituait à un réel insupportable. Si, après la Libération, il avait continué à se réfugier dans sa rêverie, il se serait désocialisé en se coupant des relations interpersonnelles. Le contexte ayant changé, la rêverie excessive qui l'avait protégé risquait maintenant de devenir une entrave à sa socialisation. Alors, il a trouvé une passerelle de résilience entre la rêverie et son contexte social : il est devenu traducteur de Proust.

Selon le contexte, ce mécanisme de défense peut être constructeur ou destructeur. C'est même la règle, pour tout enfant ou toute personne qui se trouve en situation difficile, de réagir en se débattant puis, tout de suite après, en rêvant, en testant des scénarios imaginaires. Quand on est agressé, d'abord on sursaute, puis on cherche à comprendre pour trouver une solution. L'activisme et la rêverie sont les deux facteurs de défense en urgence. L'altruisme, la sublimation, l'anticipation et l'humour, autres facteurs de résilience nécessitent le recul du temps.

Nos maîtres à rêver sont les artistes, ceux qui mettent en scène nos débats intérieurs, qui font des images avec nos conflits sociaux et des récits avec nos épreuves. Ils transforment en poésie nos souffrances indicibles. Celui qui décrirait le réel obscène sans le transformer serait un auteur indécent, un agresseur supplémentaire. Mais celui qui sait transfigurer le réel insupportable pour lui donner une forme compréhensible et partageable, celui-là nous aide à maîtriser l'horreur. Anna Freud parlait des « fantasmes grâce auxquels la situation réelle est renversée[7] ». Au moment de la déchirure traumatique, on se débat comme on peut, mais tout de suite après, la rêverie donne une forme imagée au retour de l'espoir. Alors, dès qu'il trouve une personne à qui adresser la représentation de ce qui s'est passé, le blessé commence à reprendre en main son histoire. Mais ce travail est lent puisque après l'urgence de la bagarre et du rêve, le raccommodage de la déchirure nécessite une cascade de rencontres. Le blessé doit apprendre à l'exprimer d'une manière acceptable. Le style devient l'outil de sa communication puisqu'il est indécent de dire les choses telles qu'elles sont. L'élégance, le maniérisme, l'allusion, la dérision, l'emphase, l'humour ou tout autre mode d'expression permettent ce travail. Dans la vie, « il y a des choses tellement lourdes à porter qu'on ne peut en parler que légèrement[8] ». Le théâtre, la peinture, la théorisation participent à ce travail d'allégement. Quand le regard éloigné de l'intellectualisation tient à distance le retour de l'émotion, le blessé retrouve un peu de maîtrise de soi.

C'est pourquoi l'écriture permet si souvent ce travail de couture du moi déchiré. Grâce à elle, je peux entrouvrir

la crypte qui contient les choses indicibles, je peux donner
la parole aux fantômes verrouillés qui surgissent chaque
nuit dans mes cauchemars. Cinquante pour cent des écri-
vaines et 40 % des écrivains ont subi de graves traumatismes dans leur enfance. C'est bien plus que la population
générale et c'est infiniment plus que les 5 % qui s'orientent
vers la politique et les grandes écoles [9].

## La ménagerie imaginaire
## et le roman familial

Les enfants qui ne savent pas écrire ou qui ne maî-
trisent pas assez leur représentation du temps pour faire
un récit se racontent chaque soir deux types de fables : le
feuilleton du compagnon imaginaire et le roman familial.
La ménagerie imaginaire joue un rôle majeur dans le
développement du psychisme d'un enfant. Chaque enfant,
avant de se coucher, sait que, pour dormir, il doit quitter le
réel pour se laisser aller dans l'autre monde, celui du sommeil. Il doit avoir passé une bonne journée et avoir acquis
suffisamment confiance pour oser lâcher ce qui le cram-
ponne au réel et se laisser glisser vers un monde d'ombres
où peuvent surgir tous les fantômes. Alors l'enfant invente
une étape intermédiaire où il imagine des êtres étranges
mais familiers, pas totalement inconnus. Chaque soir, il se
joue la scène du petit garçon qui invite dans son lit Per-
nou, le gentil compagnon invisible qu'il imagine moitié
homme et moitié chien, et Perguit, un autre copain
animal-homme. Ainsi sécurisé par cette bonne compagnie
qu'il vient de s'inventer, il ose tenter l'aventure de la plon-

gée dans le noir. Les animaux imaginés peuplent cette zone intermédiaire entre le parent familier qui le sécurise et l'inconnu qui l'angoisse. L'enfant a beau savoir que c'est lui l'auteur de ce peuple intermédiaire, il se sent quand même mieux puisqu'il éprouve le sentiment que vient de susciter le monde qu'il invente. Son imaginaire agit sur son réel intime, les deux « copains » imaginaires modifient son monde intérieur, calment son angoisse et l'invitent à se laisser aller au sommeil en bonne compagnie. Il n'y a pas de création sans effet. Tout ce qui est inventé agit sur le psychisme de celui qui l'invente.

Dès ses premiers écrits, Freud avait souligné l'importance du roman familial quand l'enfant se fabrique un récit où il se raconte que sa famille n'est pas sa vraie famille [10] : « C'est un accident de la vie qui m'a placée chez ces gens-là. Je sais que je suis une princesse, tant je ressemble à la reine Fabiola. D'ailleurs, un jour, j'ai vu ceux qui prétendent être mes parents parler avec un drôle de clochard. Ils lui donnaient certainement l'argent qu'ils lui avaient promis pour mon enlèvement... » La fillette qui se raconte cette affabulation et la perfectionne à chaque nouvel indice travaille au fond d'elle-même, grâce à ce conte, à développer le sentiment d'autonomie qui vient de naître en elle. « Je découvre que mes parents ne sont pas les êtres exceptionnels que je croyais. J'ai envie de m'identifier à des gens qui me correspondent mieux, une reine tant qu'à faire. L'angoissant désir incestueux que j'ai ressenti n'est pas coupable puisque les hommes de ma famille ne sont pas mon vrai père ni mon vrai frère. J'ai donc éprouvé un sentiment normal. » Ne croyez pas que ce roman familial soit une manifestation de mépris pour les vrais parents.

C'est presque le contraire. L'enfant, en grandissant, découvre les limites de ses parents réels. Il a la nostalgie de son admiration passée mais, grâce au roman familial, il évite la déception et préserve au fond de lui le délicieux sentiment qu'il éprouvait quand ses parents étaient encore prestigieux. Voilà comment une création imaginaire travaille un sentiment réellement éprouvé. Plus tard, quand le grand enfant ou l'adolescent rencontrera un compagnon qui partage un imaginaire analogue, ils en feront une rêverie collective qui leur donnera la preuve que le sentiment qu'ils éprouvent est bien fondé puisque l'autre l'éprouve aussi. La croyance est en marche, modifiant le réel et entraînant les fidèles vers le délice... ou vers l'horreur.

La rêverie peut donc modifier la manière dont on ressent ce qui nous entoure, le goût du monde en quelque sorte. Nous éprouvons tous de tels sentiments. Mais à partir d'une compétence commune, l'aiguillage pourra se faire dans des directions différentes selon les tuteurs affectifs, sociaux et culturels que notre entourage aura disposés autour de nous.

« Alors que la sublimation tient compte de l'existence d'autrui, la rêverie est une expression du narcissisme [11]. » Si l'alentour est vide, le sujet restera prisonnier de son refuge et risquera de s'y enfermer, comme dans la mythomanie. Mais s'il parvient à rencontrer une personne qui l'invite à faire l'effort de transformer sa rêverie en création, alors le blessé pourra construire une passerelle de résilience.

Un enfant traumatisé qui ne rêve pas reste soumis au réel délabrant. À l'opposé, un enfant fracassé qui se réfu-

gie dans le rêve au point de se couper du réel se déso-
cialise. Seul, un enfant blessé qui se protège grâce à la
rêverie et rencontre quelqu'un qui lui demande de faire
l'effort d'une création aura des chances de construire sa
résilience. Fuir la réalité ou s'y soumettre sont deux mécanismes
de défense toxique. Alors que se protéger d'une réalité
agressante et puiser dans l'imaginaire quelques raisons de
la transformer constitue un mécanisme de défense résiliente. « Aux blessures de l'enfance, aux pesanteurs des
souvenirs enfouis, les artistes puisent des forces nouvelles
en réinventant leur histoire. Proche du rêve [...], cette
transformation de soi tend à élargir notre conception étri-
quée de l'individu [12]. »

## Donner forme à l'ombre pour se reconstruire.
## La toute-puissance du désespoir

J'aime à dire que ce qui ne peut pas être dit peut toujours être para-dit. Ce minable jeu de mots permet de
signifier le défi de la transformation quand un handicap,
une souffrance ou une honte se muent en épanouissement
personnel dès qu'ils sont affrontés. Tout héros bien élevé
doit surmonter une épreuve, comme une étape vers la
lumière. Un traumatisé, lui, n'a pas le choix puisque le fracas est là, avec l'effraction qui le bouleverse et le met en
demeure de choisir entre l'anéantissement ou la bagarre :
« Je crus vraiment succomber. Que la vie perde ainsi tout
sens, c'est une souffrance sans égale. [...] Je n'étais plus
alors qu'une activité débordante et je découvrais en moi la

toute-puissance du désespoir [13]. » Quand nous sommes précipités vers la mort, la défense urgente consiste à se débattre, même si parfois nous sommes tentés de nous laisser glisser dans l'abîme. Si nous nous laissons fasciner par cette ultime issue, nous devenons nihilistes, privés de point d'attache, à la dérive sous les coups du réel. Alors que si nous affrontons l'absurde de la vie, avant que le néant s'impose à nous, nous pourrons remplir ce rien et devenir créateurs [14].

Le chemin de l'homme normal n'est pas dépourvu d'épreuves : il se cogne aux cailloux, s'égratigne aux ronces, il hésite aux passages dangereux et, finalement, chemine quand même ! Le chemin du traumatisé, lui, est brisé. Il y a un trou, un effondrement qui mène au précipice. Quand le blessé s'arrête et revient sur son parcours, il se constitue prisonnier de son passé, fondamentaliste, vengeur ou soumis à la proximité du précipice. Le résilient, lui, après s'être arrêté, reprend un cheminement latéral. Il doit se frayer une nouvelle piste avec, dans sa mémoire, le bord du ravin. Le promeneur normal peut devenir créatif, alors que le résilient, lui, y est contraint.

Quand le réel perçu est inassimilable, le grand enfant a la sensation d'être explosé : « Pourquoi là, ou là, ou ailleurs ? Pourquoi ça, plutôt qu'autre chose ? » Son identité fracassée ne peut plus traiter les informations du monde et s'y adapter. Donner forme à ce fracas, c'est l'urgence de se reprendre en main. En construisant une cohérence au monde qu'il perçoit, l'enfant se donne la possibilité d'une réponse adaptative : fuir, se soumettre, séduire l'agresseur, l'affronter, l'analyser pour le contrôler.

Le mécanisme habituel de défense urgente, c'est le symptôme, phénomène observable qui exprime une partie du monde intime invisible. Dès que le symptôme illustre la sensation de pulvérisation du monde intérieur, le sujet se sent mieux puisqu'il peut repérer l'image de son propre malheur. Il discerne d'où vient le mal et peut enfin le nommer. Ce dessin du corps donne forme à la confusion et rend la souffrance communicable : « Je peux entrer dans un groupe et exprimer ce que je ressens. Je peux consulter un médecin et lui montrer un symptôme. Je ne suis plus seul au monde. Je sais maintenant ce que je dois affronter et comment me faire aider par mes proches et ma culture.» «Cette figuration est un avatar de l'angoisse, une descente dans le tracé de l'image, [...] une transformation d'un réel inassimilable [en une forme] qui transforme le trauma et le régule [15].»

Quand un trauma déchire la personnalité, la pulvérise ou la fracasse plus ou moins gravement, pendant un certain temps le blessé est déboussolé, désidentifié : « Qu'est-ce qu'il m'arrive ? Comment faire dans ce cas ? » Si dans sa mémoire troublée demeure le souvenir de la personne qu'il était, de la famille qui l'entourait, il emmène avec lui l'ombre de son passé, témoin étrange, preuve impalpable qu'il a été quelqu'un : c'est donc qu'il reste au fond de son moi fracassé une affirmation vacillante, une présence d'ailleurs, une braise de vie : « Quand je reprends mon chemin, quand je retourne au soleil pour retrouver un petit bonheur, je vois l'ombre que je projette : c'est celle de mes parents morts. Je suis une image réelle, je suis un garçon, je joue mal au foot, j'ai beaucoup d'amis, mais les autres voient bien que j'ai deux ombres en moi, alors ils se méfient et me trouvent ombrageux.» « Qu'est-ce qu'il a, ce garçon ? Il est beau, il est sympa et

tout d'un coup, il est troué dans son langage. Il se tait
quand nous parlons de nos parents, il s'immobilise quand
nous leur sautons au cou. Qu'est-ce qu'il a, ce garçon? Il
nous charme et nous inquiète. Même quand il est présent
avec nous, il demeure dans l'au-delà, il en rapporte une
relique, une photo désuète avec des bords crénelés. Il la
regarde souvent, c'est la photo de ses ombres. Un objet
parfois lui vient de l'au-delà, une boîte en carton aux coins
écrasés, une pièce de monnaie d'un pays étranger, une
petite clé en or, à coup sûr léguée par son ombre paternelle [16]. » Donner forme à l'ombre, c'est se reconstituer
après la pulvérisation traumatique. Donner forme à
l'ombre, c'est le premier temps de la création artistique.
Le nom que je porte est celui de mes ombres. C'est la
preuve sociale qu'elles ont bien existé. Mes fantômes
ont été réels. Mon histoire s'alourdit de l'histoire de mes
ombres. Comment fait-on pour soupeser une ombre? On
se terre à l'ombre pour ne plus avoir d'ombre? On se fond
dans la masse, on cherche l'anonymat pour devenir
personne? Mais quand on souhaite vivre malgré le poids
des ombres, on transforme son nom et pour mieux le
cacher, on le met en lumière : « Je m'appellerai Niki de
Saint-Phalle. Ce cryptonyme traversera le monde et
prendra sa place parmi l'humanité d'où j'ai été expulsée à
l'âge de 11 ans quand mon père, ce grand banquier que
j'aimais tant, est entré dans mon lit. Je combattrai mon
exil, je sculpterai des images de nanas au sexe ciblé, je
donnerai chair à mon ombre et matière à mon trauma.
Alors, ces créatures délogées de mon monde intime permettront à mon nom de devenir acceptable. Je réintégre-
rai le monde des humains avec la blessure dont j'aurai fait
des œuvres d'art [17]. »

Mettre hors de soi la crypte traumatique enkystée dans le psychisme constitue un des plus efficaces facteurs de résilience. Il faut pour cela que l'enfant mutilé soit devenu capable de trouver un mode d'expression qui lui convienne et un lieu de culture disposé autour de lui [18]. L'écriture offre très tôt ce procédé de résilience. Mettre hors de soi pour la rendre visible, objectivable et malléable, une souffrance imprégnée au fond de soi. C'est mystérieux ce désir qu'éprouvent beaucoup d'enfants traumatisés de devenir écrivains alors qu'ils ne savent pas encore écrire. Écrire ce n'est pas dire. Quand je raconte ma blessure, les mimiques de l'autre, ses exclamations ou même ses silences modifient mes émotions. Sa simple présence muette l'a rendu coauteur de mon discours. Je ne suis plus seul maître de mes désirs. Je reprends mal en main le sentiment de mon passé. L'auditeur a modifié mes intentions. À l'opposé, lorsque j'écris avec les mots que je cherche au rythme qui me convient, je mets hors de moi, je couche sur le papier, la crypte qui chaque soir laissait sortir quelques fantômes. De même que Niki de Saint-Phalle réintègre le monde des humains grâce à l'artisanat de « nanas » au sexe ciblé, Francis Ponge met hors de soi un objet d'écriture qui aura pour fonction intime de le réparer : « Tout se passe comme si, depuis que j'ai commencé à écrire, je courais... "après" l'estime de certaine personne [19]. » L'écriture est un plaidoyer. Tout roman met en scène un héros réhabilitateur. L'œuvre prolonge l'appareil psychique et donne une forme sculptée ou écrite à l'ombre que le blessé porte en lui, « ce lieu est un for extérieur contenant une délégation des représentants du for intérieur [20] ». Le lieu de l'œuvre, c'est le lieu de la crypte, c'est le théâtre où jouent les fantômes. « Et je compris que tous ces matériaux de l'œuvre littéraire, c'était ma vie passée [21] », écrit Proust, expert en évocation des ombres.

## Les livres du moi modifient le réel

Erich von Stroheim, auteur de lui-même, a consacré sa vie à métamorphoser son passé douloureux. S'il en avait fait un récit réaliste, il aurait dit qu'il était né à Vienne, de parents juifs pieux qui vendaient des chapeaux [22], et tout le monde serait mort d'ennui. Il aurait raconté qu'à la fin de sa vie, après une gloire américaine, il était ruiné, abattu par une série de catastrophes. Sa fille grièvement brûlée au visage ne pouvait plus quitter l'hôpital, son fils risquait la mort et il lui a fallu tout vendre pour payer la pension de sa femme. Alors, ses amis lui ont trouvé un travail de correcteur de scénarios où Erich a « inventé » des héroïnes défigurées, soignées par des médecins pauvres mais tellement admirables, des psychiatres célèbres abattus par l'adversité et ressemblant... à qui vous pensez.

La rêverie est une défense qui protège de l'horreur du réel en créant un monde intime et chaleureux lorsque le monde externe est glacé et douloureux. Quand la fiction parvient à agir sur les faits, le réel en est poétisé, mais quand on se coupe trop du réel, la rêverie peut devenir un délire logique ou une mythomanie. Charles Dickens a été placé à l'âge de 10 ans dans une usine de cirage où il travaillait douze heures par jour, où les rapports humains

étaient désespérés. Puis il fut envoyé à l'école de Welling-
ton House Academy où l'on considérait qu'il était nécessaire et moral de battre les garçons tous les jours afin de
les dresser. Dès l'âge de 15 ans, l'enfant organisa des lec-
tures publiques où il racontait en mimant les épreuves de
sa vie qu'il s'apprêtait à écrire [23]. Un jour où il trouvait que
c'était vraiment très difficile de vivre ainsi, il passe devant
le château de Gad's Hill Place, près de Chathan, et se met
à rêver qu'il y habite et que le simple fait de vivre à l'intérieur de tant de beauté le rend heureux. Quelques années
plus tard, devenu incroyablement célèbre et riche, il
achète ce château... et n'y sera pas toujours heureux.
Pourtant, le château rêvé l'avait protégé et même enchanté
en lui permettant de construire dans son espace du
dedans un monde plein d'espoir et de beauté.

La transformation provoquée par la lecture, ce n'est
plus l'angoisse de la mort, c'est la lutte contre l'horreur. Le
récit n'est plus métaphysique, il ne nous dit pas où l'on
vivra jusqu'à la fin des temps, il plante en nous l'espoir de
transformer le réel.

La littérature de l'intime a mis longtemps à venir au
monde. D'abord, le « je » a été un acte notarié (« je possède trois chèvres, j'en vends deux, je signe »). Puis il est
devenu récit intériorisé que l'on croyait intime alors qu'il
était encore social (« j'ai rencontré le roi », « je suis parti à
la guerre »). Le « je » moderne, celui qui ose raconter ses
voyages dans le monde du dedans, est très récent, même si
parfois de grands noms comme saint Augustin ou Jean-
Jacques Rousseau ont pu échapper à la contrainte sociale
pour tenter cette aventure personnelle. « L'explosion de la
littérature intime dès la fin du XVIIIe siècle témoignait en

fait d'une nouvelle conception sociale de l'intimité de la personne [24].» À l'inverse, une des premières manifestations du totalitarisme consiste à brûler les livres afin d'empêcher l'expression de mondes mentaux différents. La dictature implique le gouvernement des âmes, au point que la politique de l'aveu devient le moyen de contrôler les mondes intimes. L'existence d'une littérature des mondes intérieurs pourrait ainsi fournir la preuve du degré de démocratie d'une société.

Dès leur essor, au XVIIIᵉ siècle, les écrits intimes ont eu un effet thérapeutique : un vitrier « écrit tous les jours pour se ressouvenir de sa femme morte cinq ans avant [25] ». Cette écriture lui permettait de vivre encore un peu avec elle et d'entretenir dans le présent quelques beaux moments passés. C'est une fonction défensive que renforcent l'épure du temps et l'invention du souvenir. C'est peut-être ça d'ailleurs qui lui donne son effet de résilience : écrire pour remanier l'émotion, la rendre supportable, l'embellir, exprimer son monde intime afin d'échapper aux pressions sociales.

Écrire sa blessure, c'est aussi changer la manière dont le sujet s'affirme. Le passé parlé crée une intersubjectivité, alors que le passé écrit s'adresse au lecteur idéal, à l'ami invisible, à l'autre moi. C'est dire que le monde écrit n'est pas du tout la traduction du monde parlé, c'est l'invention d'une conscience supplémentaire, l'acquisition d'une force pour se camper face aux autres.

Quand le souci de l'enfance est devenu une préoccupation sociale, les contes de Perrault ou des frères Grimm, en s'adressant aux petits, racontaient leur condition sociale. Le Petit Poucet parlait de l'abandon, Peau d'Âne de l'inceste à une époque où les enfants étaient souvent des bouches qu'on ne pouvait nourrir et où les pères incestueux non seulement n'étaient pas envoyés en prison, mais encore étaient invités au mariage de leur fille : « Elle avait déclaré qu'elle ne pouvait pas épouser le prince sans le consentement du roi son père : aussi fut-il le premier auquel on envoya une invitation [26]. »

## La littérature de la résilience travaille à la libération bien plus qu'à la révolution

Au XIXe siècle apparaît une très belle littérature de la résilience où de petits enfants sont arrachés à leur tendre foyer. *Sans famille* parle de l'invraisemblable condition des ouvriers dont les proches mouraient de faim au premier accident de travail [27]. *Les Misérables* donne vie à Cosette, porte-parole de milliers de petites filles abandonnées et exploitées. *Oliver Twist* et *David Copperfield* sont des sortes d'autobiographies à la troisième personne où le petit héros représente l'auteur qui remodèle ainsi sa propre tragédie. Tous ces récits de résilience ont une même structure narrative. Ils racontent l'histoire édifiante d'un bel enfant qui a perdu sa famille à cause de la cruauté de méchants hommes. Grâce à la providence, ils finissent quand même par devenir heureux en rencontrant des hommes bons. La morale de cette histoire, c'est que ces enfants paraissaient mauvais parce qu'ils étaient maltraités par les méchants. Mais détrompez-vous, ils étaient bien nés dans une bonne famille, bien-pensante et travailleuse. Ces enfants semblaient sales, voleurs et malheureux mais, comme ils sont de « bonne qualité », il leur suffira de retrouver un substitut familial aimable et bourgeois pour que tout rentre dans l'ordre et que l'histoire finisse bien.

Ce n'est pas une littérature révolutionnaire, c'est une littérature de la libération du moi. Le marxiste Jules Vallès tient le même genre de discours édifiant. Simplement *L'Enfant* (1879) deviendra *L'Insurgé* (1886) qui se rétablira dans une société nouvelle où l'exploitation de l'homme par l'homme n'existera plus et où les pères maltraitants (comme celui de l'auteur) deviendront bientraitants dès que la société sera mieux organisée.

Au xixᵉ siècle, l'enfant blessé devient sujet de littérature parce qu'il fournit un exemple qui porte à la vertu : « Ainsi on ne lira pas sans intérêt ce petit livre où trois enfants de pays différents, de parents très misérables, racontent eux-mêmes comment, après avoir beaucoup souffert, ils se sont élevés par leur travail, leur mérite et leur honnêteté, à de belles positions dans le monde et à tout ce qu'on peut désirer de félicité, d'aisance et de considération ici-bas [28]. »

Au xxᵉ siècle, les découvertes psychologiques n'excluent pas les causes sociales. Quand un homme est chassé du monde par l'inceste, la déportation ou la misère, il doit faire le même chemin de résilience qu'un immigré ou un exclu. Or l'exclusion est le cheminement qui caractérise nos sociétés : 15 % des habitants de l'Occident actuel sont exclus, contre 50 % des Africains et 70 % des Sud-Américains. Pourrait-on devenir humain en dehors de l'humanité ? Si l'organisation de leur collectivité le leur permet, ils ne reprendront une place sociale qu'en cherchant le sens de leur fracas et en recommençant la construction de leur identité[29]. L'autobiographie ou le récit de soi n'est pas le retour du réel passé, c'est la représentation de ce réel passé qui nous permet de nous réidentifier et de chercher la place sociale qui nous convient[30]. Mais puisque la personne est devenue une valeur primordiale de l'Occident moderne, ce travail intime, cette quête du sens privé qui permet de tenter l'autoréalisation de soi fournit une preuve de démocratie. Le cheminement intime est combattu dans les sociétés totalitaires où « nous ne sommes même pas sûrs d'avoir le droit de raconter les événements de notre vie privée[31] ». Alors que, dans une démocratie, nous sommes invités à la « recherche et [à la] construction de sens à partir de faits temporels personnalisés[32] ».

Ce balancement entre la vie intime et la vie publique est illustré par la disparition des autobiographies en France entre 1940 et 1970. L'écroulement de la guerre et la nécessité de la reconstruction avaient tellement donné la priorité aux discours sociaux que, dans un tel contexte, toute expression intime paraissait indécente. La nécessité de rebâtir a fait taire les victimes afin de valoriser les discours mythiques. Un papa violent était impensable dans une culture où les pères étaient glorifiés. Un enfant de « collabos » n'avait pas le droit de se plaindre quand le récit social accablait ses parents. Quant aux pères et mères incestueux, il aurait été obscène de les évoquer à une époque où il fallait rêver la reconstruction d'une famille idyllique.

Après 1970, l'explosion de la littérature du moi témoigne d'un changement culturel. Nous sommes en paix, la société est riche, l'aventure de la personne est exaltée. On se passionne alors pour la vie quotidienne d'un paysan breton, d'un village provençal, d'un explorateur du pôle ou de destins étranges. Le lectorat de ces chemins de vies privées cherche un miroir pour ne plus être seul dans son intimité. Alors, on voit apparaître les auteurs d'un seul livre : la vedette de cinéma qui écrit par la plume d'un nègre, l'homme d'État qui n'a pas le temps de lire son propre livre, le personnage célèbre qui devient l'emblème d'un groupe social et la myriade de petites gens qui écrivent des milliers de petits livres bon marché qui sont disposés aujourd'hui dans des bacs à l'entrée des librairies.

## Faire semblant pour fabriquer un monde

L'écriture, c'est l'alchimie qui transforme notre passé en œuvre d'art, participe à la reconstruction d'un moi délabré, et permet de se faire reconnaître par sa société. Mais avant l'écriture, d'autres modes socialement valorisés de la représentation de soi se mettent en place au cours du développement.

Dès l'âge de 15 mois un enfant doit savoir « faire semblant ». Il doit tomber alors qu'il n'y est pas forcé, il doit simuler des pleurs et des souffrances qu'il n'éprouve pas dans le réel, il doit savoir paraître menaçant, endormi ou même affectueux. Bref, toutes les activités fondamentales de son existence doivent être mises en scène dans son petit théâtre préverbal, sous peine de ne pas avoir accès à l'altérité. Dès l'instant où un enfant s'entraîne à inventer un personnage qu'il fait vivre, un double imaginaire auquel il confie ses petits chagrins, un rôle préverbal qu'il joue avec des gestes, des mimiques, des postures et des vocalités, il fournit à l'adulte la preuve qu'il a compris qu'un autre monde mental que le sien existe et qu'il tente d'agir sur lui grâce à des scénarios imaginés. En jouant à faire semblant, le petit invente une fiction exprimée par le corps, donne une forme à ses émotions pour agir sur le monde mental de l'autre. Ce « faire-semblant » est une prouesse intellectuelle puisqu'il permet en même temps l'expression de son monde intime et la maîtrise intersubjective : « Je vais l'émouvoir en effectuant une chute. Je vais provoquer sa rescousse protectrice en mimant des pleurs. » Quinze mois plus tard, quand l'enfant commence à maîtriser ses propres paroles, c'est avec des mots qu'il réalisera le même processus. En racontant une histoire, il exprimera son monde intime, manipulera vos émotions et tissera ainsi le lien dont il a besoin. Mais pour que ce mécanisme de création d'un monde virtuel devienne efficace, il faut que l'autre, l'adulte ou le compagnon, réponde à ce faire-semblant par une réaction qui, elle, doit être authentique, parce que lui ne joue pas, il éprouve un sentiment « pour de bon ».

Quand l'enfant est seul et que son monde se vide, quand le réel est terrifiant et qu'il s'en protège en inventant une fiction, quand l'autre, l'adulte ou le compagnon, ne répond pas à ce monde virtuel, le petit reste prisonnier de ce qu'il vient d'inventer. Alors que le mensonge est une défense utilitaire, la mythomanie constitue une tentative de résilience pervertie, parce que, autour du petit blessé, la famille, les copains ou la culture n'ont pas su répondre ni donner à cette défense une forme socialement exprimable.

Quand le réel est supportable parce qu'il n'est pas inquiétant, parce qu'on y prend sa place et qu'on y établit des relations, la réalité devient aimable, intéressante et même plus amusante que les jeux de fiction. Dans un tel contexte l'enfant, en jouant, apprend à se faufiler dans son milieu. Mais quand le réel est effrayant, quand les relations affectives ou sociales sont dangereuses ou humiliantes, l'affabulation permet à l'enfant de se protéger du monde extérieur en se soumettant au monde qu'il invente.

## Le mensonge est un rempart contre le réel, la mythomanie un cache-misère

Le mensonge le protège quand il est en danger, la mythomanie lui donne un sentiment de revalorisation quand il n'a pas la possibilité de remédier à son image altérée. Alors les récits où il se met en scène deviennent trop cohérents pour être honnêtes. Le réel est toujours un peu chaotique, on se trompe dans les dates, on éprouve des sentiments ambivalents, on retrouve des images du passé parfois divergentes, un geste de haine pour ceux qu'on aime, un souvenir qui nous intrigue. L'affabulateur, lui, doit être cohérent jusqu'à l'absurde, il doit puiser dans les récits qui l'entourent des morceaux de vérité dont il fera une fiction. Un enfant suffisamment entouré a acquis un attachement serein, il joue une fiction pour s'entraîner à prendre place dans son milieu. Un petit mythomane, lui, se réfugie dans la fiction pour éviter ce monde ou pour donner une image avantageuse avec laquelle il entre dans sa société. Il a peur du monde réel et veut quand même y prendre place, alors il s'y faufile en se composant l'image qu'attend son entourage. C'est pourquoi les thèmes de la mythomanie sont ceux de notre propre existence : réussite sociale, aventures physiques, prouesses militaires ou même charmantes petites réussites quotidiennes : « Elle était si jolie... nous nous sommes promenés », conte l'adolescent désespéré de ne pas oser sourire à une fille. Au moment où il dit sa fable, il éprouve le sentiment provoqué par l'image de lui-même que donne son récit. La carence affective est au cœur de ces fictions compensatrices. Elle est la cause principale de la mythomanie qui peut en retour l'aggraver : c'est une défense ratée. La rêverie, au contraire, est une métaphore de nos désirs puisqu'elle met en scène ce à quoi on aspire. Ensuite, le jeu de fiction nous exerce à faire passer ce désir dans le réel. Mais dans la mythomanie, on se paye de mots pour combler dans l'instant le désert affectif. Ce n'est pas une bonne affaire. Bien sûr, on plane au moment où l'on met en scène la saynète de son désir, mais la descente est triste et, comme pour toutes les drogues, il faudra vite recommencer.

Cette « piquouse à la saynète » témoigne pourtant d'une tentative de défense constructive. Un enfant placé dans un contexte d'isolement affectif finit presque toujours par se laisser aller à la mort psychique, puis physique. De temps en temps, même dans les privations extrêmes, on en voit un qui résiste : c'est celui qui parvient à se créer un monde intérieur qu'il a construit à partir de quelques indices, quelques riens. Après avoir extrait deux ou trois perceptions du réel qui l'entoure, l'enfant en fait un objet d'hyperattachement [33]. Il surinvestit une photo, un papier cadeau, un clou doré, un ruban, un article de journal dont il fait un trésor qu'il cache sous son oreiller. Cet objet symbolise l'attachement perdu puis reconquis : « Mon père me l'aurait donné », « une mère en aurait fait cadeau à son enfant ». Cette chose qui, pour un adulte, paraît misérable et dépourvue de signification est une perle précieuse pour le petit propriétaire, une preuve matérielle qu'il est possible d'aimer. C'est ainsi qu'un bout de papier devient porteur d'espoir. Et pourtant l'enfant sait bien qu'il a inventé cet objet et lui a attribué le pouvoir affectif dont il a tant besoin.

Quand le grand enfant ou l'adolescent affabule, il fait le même travail. Il invente une saynète qui met en scène ses désirs et, dans l'instant où il la joue avec des mots et des postures, il éprouve ce qu'il vient d'inventer.

Le mensonge sert à masquer le réel pour s'en protéger, alors que la mythomanie sert à compenser le vide du réel pour combler un manque affectif. Elle répare, dans l'apparence, l'image de soi fracassée. La rêverie, elle, donne forme à l'idéal de soi et provoque une appétence qui invite le rêveur à transformer sa vie à condition de rendre son rêve réel.

Ces trois mondes virtuels ont pour fonction de donner un sentiment de sécurité. Le mensonge protège comme un rempart, la mythomanie comme une image séduisante et la rêverie comme un pont-levis qui ouvre sur la campagne. Mais quand il n'y a pas de campagne, le pont-levis ne mène à rien et l'enfant demeure prisonnier de ce qu'il a inventé. Ce qui veut dire que c'est une relation à l'autre, à la famille et à la société qui peut transformer la rêverie en créativité ou au contraire en mirage. La mythomanie est une tentative de résilience qui échoue parce que l'enfant meurtri n'a pas rencontré d'alentour qui l'aurait accepté avec sa blessure.

J'aime beaucoup le proverbe, certainement chinois, qui dit : « La façade de la maison appartient à celui qui la regarde. » L'habitant de la demeure construit une façade pour en faire cadeau au spectateur. Mais quand on connaît les bénéfices qu'apporte le don à celui qui donne, on peut comprendre qu'en fait, l'enfant effondré qui se construit une fabuleuse façade essaye de fabriquer une passerelle affective entre lui et ceux qui l'entourent. Comme à l'époque où il jouait à « faire semblant », comme lorsqu'il dessinait un événement dont il avait été témoin, cet enfant essaye de soumettre le réel à sa représentation. Mais le petit blessé ne peut offrir à l'autre qu'une jolie façade de soi parce que son réel est trop triste. Dans la mythomanie, ce qu'il offre, c'est seulement la façade. Derrière le décor, c'est la ruine, le désespoir. Au moins, il aura existé joliment dans votre esprit, il aura partagé avec vous un beau rêve. Misérable bénéfice que lui apporte le cadeau d'une façade qui masque les décombres.

Quand vous cassez sa mise en scène, vous le blessez deux fois. D'abord, vous le renvoyez à son réel sordide, puis vous l'humiliez en découvrant la supercherie. Alors il fuguera pour se dérober à la réalité et sauver la façade, sa dignité imaginaire. De toute façon, quand le trauma est unique et quand les saynètes deviennent moins vitales, la mythomanie s'estompe. Mais quand l'enfant meurtri demeure dans le désert, le monde qu'il imagine reste son seul plaisir.

Si vous rendez son réel supportable, il aura moins besoin de sa mythomanie. Ses rêveries redeviendront des échantillons de plaisir et des métaphores de projets. C'est la fantaisie désormais qui devient protectrice et non plus la tromperie. Il peut en faire un conte ou monter sur les planches sans escroquer le spectateur. Tout est clair, ce n'est qu'un récit, un tableau, une légende, un jeu théâtral. Mais au fond de lui, le blessé a repris la maîtrise de son malheur que vous pansez en l'applaudissant. La distance du temps, la recherche des mots et l'habileté de la mise en scène sont des outils qui lui permettent de ne pas rester prisonnier de son trauma et même d'en faire une passerelle vers la société.

Jorge Semprun illustre bien ce cheminement qui part de la blessure pour progressivement prendre la forme d'une fiction. Dans *Le Grand Voyage* [34], il donne à son trauma une forme racontable. Trente ans après la déportation, il parvient à témoigner en entremêlant les faits et l'imagination. Picasso reconnaît qu'il a suivi le même cheminement quand il a peint *Guernica*, allégorie presque incolore pour signifier la mort. Steven Spielberg pendant quarante ans s'est protégé, grâce au déni, de la douleur de la Shoah. Mais c'est finalement une fiction qui lui a permis de redevenir entier : « Depuis le film, je ne suis plus un Juif coupé en deux. » Même le choix du sujet est un aveu autobiographique. En racontant l'histoire d'un homme qui pendant la Seconde Guerre mondiale avait sauvé des milliers de Juifs, Spielberg donnait forme à son envie de penser que le monde comptait malgré tout quelques hommes généreux.

## La fiction possède un pouvoir de conviction bien supérieur à celui de l'explication

Aucune fiction n'est inventée à partir de rien. Ce sont toujours des indices du réel qui alimentent l'imagination. Même les rêveries les plus débridées donnent forme à des fantaisies venues de notre monde intime parfois proches de l'inconscient. Quand Joanne Rowling écrit *Harry Potter* [35], elle choisit d'appeler son meilleur ami Weasley, nom qui côtoie la musique du mot Measly, ce qui veut dire « qui est lamentable comme un enfant qui a la rougeole ». D'une seule évocation sonore, elle peuple le monde de Harry Potter de pauvres gosses. L'auteur elle-même a appartenu à ce monde où le réel était lamentable mais dont elle se protégeait en imaginant des crapauds, « professeurs de défense contre les forces du mal ». Dès l'âge de 6 ans, elle écrit sa première histoire intitulée *Lapin*, pour préserver sa petite sœur des blessures du réel. Et quand, à l'âge adulte, elle est encore une fois agressée par le réel, elle retrouve son professeur de défense qui lui conseille d'écrire un livre-fantaisie, *Harry Potter*. Chaque fois que Joanne devait affronter un traumatisme supplémentaire l'écriture de *Harry Potter* changeait de direction. En somme, elle écrivait une « fausse fiction » puisqu'elle n'était pas fausse et lui permettait d'exprimer la métamorphose de sa douleur en un récit magique, socialement délicieux.

Ce passage résilient de la douleur réelle au plaisir de la représentation de cette douleur accuse la société bien plus que le blessé. Pourquoi le public a-t-il tant de difficultés à entendre les témoignages ? Ou plutôt, pourquoi ne peut-il entendre que les témoignages qui le confortent dans l'idée qu'il se fait de sa propre condition ? Fred Uhlman, fils d'un médecin juif allemand, veut témoigner de la disparition de la moitié de ses camarades de classe en 1942, juifs et non-juifs. Quand il écrit : « Je vis que vingt-six garçons de ma classe, sur quarante-six, étaient morts », il provoque un silence hébété. Désemparé, il flotte un peu : « Avais-je vraiment envie ou besoin de savoir ? » Alors, pour dire le vrai que personne ne peut entendre, il décide d'écrire *L'Ami retrouvé* [36] où, comme Semprun, Picasso, Rowling et bien d'autres, il invente une fiction qui donne à la vérité une forme socialement acceptable. Il raconte son amitié d'adolescent avec Graf von Hohenfels, exécuté à l'âge de 16 ans pour avoir comploté contre Hitler, alors que ses parents, aristocrates magnifiques, s'étaient engagés dans la destruction des Juifs d'Europe.

La fiction possède un pouvoir de conviction bien supérieur à celui du témoignage parce que l'épure du récit entraîne une adhésion que ne provoque pas la simple attestation, trop proche des énoncés obscènes de l'administration : « 55 % des enfants sont morts à l'âge de 15,3 ans... 90 % admis dans la classe supérieure du gymnasium... »

Le déni émotionnel facilite le négationnisme : « Mercredi 14 juin 1916. Ma chère mère, je suis bien rentré de permission et j'ai retrouvé mon bataillon sans trop de difficultés [...]. Que veux-tu, j'ai constaté, comme tous mes camarades du reste, que ces deux ans de guerre avaient amené petit à petit, chez la population civile, l'égoïsme et l'indifférence et que nous autres combattants nous étions presque oubliés [...]. [Certains] m'ont presque laissé comprendre qu'ils étaient étonnés que je ne sois pas encore tué [...]. Je vais donc essayer d'oublier comme on m'a oublié [...]. Adieu, je t'embrasse un million de fois de tout cœur. Gaston [37]. » Quand on se tait, on meurt encore plus. Mais quand on témoigne, on fait taire. Devant un choix si douloureux, la fiction devient un bon moyen pour rendre le réel supportable en en faisant un récit d'aventure. Mais celui qui invente une histoire bâtie sur sa mémoire nous sert ce qu'on espère : quelques beaux récits de guerre, d'amour, de solidarité, de victoire contre les méchants, la gloire, la pompe, la revanche des petits, la magie, les fées, la tendresse, tous les grands moments de la vie de l'auditeur sont mis en scène par celui qui raconte sa propre légende.

## Prisonnier d'un récit

Quand Jean-Claude Romand a peur de se présenter à l'examen de deuxième année de médecine, il se retrouve seul et tombe dans le désert [38]. Il n'a jamais rêvé à un autre projet et son échec le renvoie à son néant mélancolique. Prisonnier d'un seul rêve, il n'a pas de projet de rechange. Impossible pour lui d'admettre cette désolation, cette absence de vie avant la mort. Un sursaut imaginaire lui procure encore un peu de vie. Il va dire qu'il est reçu, il va dire qu'il continue ses études, il va dire qu'il est devenu médecin chercheur à l'Organisation mondiale de la santé.

Alors il pourra voir, de ses yeux voir, dans le regard de ses parents le bonheur admiratif qu'il aura provoqué. Dans la fulgurance de sa fiction, Romand se sent réparé. Sa représentation a modifié le réel.

Il n'était personne en dehors de ce récit. Il n'éprouvait un sentiment d'existence que dans les mots, il n'existait que là. Tout renoncement à ce leurre l'aurait fait tomber dans le vide, dans le néant de sa non-vie : « Que dire, que raconter quand on ne vit rien, quand on tue la journée en lisant tous les journaux dans sa voiture garée sur les parkings de grandes surfaces, quand on somnole tout seul dans un café, quand on passe des heures sur son lit à regarder le plafond [39] ? » Le réel donne la nausée, la beauté n'arrive que dans l'imaginaire. Alors il faut chercher quelques indices de vrai pour bâtir un récit magnifique, une image verbale de soi qu'on va offrir à ceux qu'on aime. Bernard Kouchner, un soir, à la Fnac, lui dédicace « amicalement » un de ses livres. Voilà un indice de réel, voilà de quoi faire une preuve de son amitié avec le héros médecin avec qui « il a travaillé à l'OMS ». Un soir, Romand raconte qu'il est invité avec son amante à dîner chez lui, à Fontainebleau. Il prend sa voiture, fait semblant de se tromper réellement en lisant la carte routière, joue à celui qui cherche la maison de son ami-héros. Il fait vivre son imaginaire et le rend plus fort que le réel : « Voilà la pancarte du carrefour de Tronces. Ça n'est plus très loin. »

Brève victoire, car le réel vaincu prend toujours sa revanche. Son amante s'étonne de certaines incohérences, mais surtout, elle provoque le retour du réel en demandant quand Jean-Claude pourra lui rembourser la grosse somme d'argent qu'elle lui a confiée. Le théâtre de la beauté s'effondre et le réel hideux le cogne et le panique. Alors il entreprend d'étrangler sa maîtresse. Ne croyez pas qu'il s'agisse d'une tentative d'assassinat, c'est plutôt une déclaration d'amour mélancolique : « Sa femme lui permettait de l'aimer [...]. Il ne faisait pas trop de différence entre lui et ses objets d'amour [...] [40]. » Quand la mort devient un bienfait, quand on veut se tuer pour se libérer du réel, le mélancolique ne sait plus très bien si c'est lui qu'il tue ou celle qu'il aime. C'est pour ça que plus tard, quand le réel est devenu inexorable, Jean-Claude Romand dans sa « grande bonté » a tué d'un coup de fusil dans la nuque sa fille, son fils, sa femme, sa mère, son père et même Choupette la chienne, pour leur éviter la souffrance de la désillusion en tombant dans le réel !

Cette défense terrifiante aurait pu évoluer différemment. La preuve, c'est qu'il a été guéri par le procès. « Condamné à vivre » après sa tentative de suicide, Jean-Claude éprouve enfin le sentiment d'existence. Dès l'instant où il n'a plus le choix, dès qu'il doit accepter les visites des avocats, se rendre aux convocations du juge, respecter le règlement des promenades, des travaux, du courrier et des rencontres, Romand découvre que le réel est supportable. Un aumônier lui fait découvrir la spiritualité, autre manière d'échapper au réel, de ne plus s'y soumettre, mais cette fois-ci en le transcendant [41]. Il parle, il écrit, il médite, il apprend le japonais et des femmes tombent amoureuses de lui, cet être exceptionnel : « Je n'ai jamais été aussi libre, jamais la vie n'a été aussi belle [...]. Je suis un assassin, [mais] c'est plus facile à supporter que vingt ans de mensonge [42]. »

Libéré par la prison, peut-être a-t-il pensé : « Je n'ai plus besoin de mentir. J'étais prisonnier de ma défense imaginaire, mais je découvre que le réel de la prison est plus agréable et plus vivant que le vide mélancolique que j'ai connu avant. Je peux dans ces conditions redevenir moi-même. Maintenant que l'aveu m'a remis au monde, c'est ainsi que vous aurez à m'aimer, avec mes crimes et mon passé. »

Cette nécessité de rencontrer les autres, de se mettre à l'épreuve du réel, de se coltiner avec les faits, puis de leur donner sens, n'avait jamais été proposée à Jean-Claude Romand. C'est facile d'être un bon élève transparent, il suffit d'avoir peur de la vie. Alors on se ralentit, on se routinise à sa table de travail dans sa chambre, on lit vaguement, on répète à peu près, on passe quelques examens et vos parents sont fiers de cette morne réussite. Pour se donner le sentiment de vivre un peu quand même, on rêve, on met en images l'existence à laquelle on aspire. Quand personne ne vous invite à sortir de vous-même, les rêves finissent par vous couper du réel qui devient plus fade et plus écœurant que jamais. Le seul plaisir reste imaginaire. On ne peut en faire une passerelle de résilience que si la culture dispose autour du rêveur éveillé quelques lieux de travail et surtout de rencontres. C'est la prison qui a offert ce lieu à Romand.

## Le pouvoir réparateur des fictions peut modifier le réel

La société peut proposer des lieux de guérison plus doux. C'est ce qui s'est passé pour Erich von Stroheim. « Il s'est servi du mensonge pour protéger son intimité, mais aussi pour se construire lui-même. Il a si bien réussi dans son entreprise qu'il ne reste qu'une seule voie d'accès à sa véritable personnalité : les chefs-d'œuvre qu'il a créés [43]. » Erich von Stroheim répare la honte de sa jeunesse par une compensation imaginaire excessive. Né à Vienne en 1885, il s'engage en 1906 dans le régiment du train surnommé « les dragons de Moïse » tant les soldats juifs y sont nombreux. En 1907, il devient caporal mais, trois mois plus tard, il est réformé pour « incapacité à porter les armes ». En 1909 il s'embarque à Brême et, quand il débarque à New York dix jours plus tard, il a gagné un « von » entre Erich et Stroheim. Comme tout immigrant pauvre, il fait mille petits boulots jusqu'au jour où, en 1914, il s'engage comme figurant à Hollywood. On est loin du beau cavalier, capitaine de dragons !

Dans le contexte culturel de l'Amérique de cette époque, on invitait tout homme à descendre dans le réel pour y réaliser ses rêves les plus fous. Erich, humilié par la réforme s'est réfugié dans un imaginaire compensateur mais, dans la culture américaine, il a pu enclencher un processus de résilience. D'abord, il a bâti son mythe sur des détails véritables. Romand lisait tous les articles sur le cholestérol et arpentait régulièrement le bâtiment de l'OMS, à Genève. Stroheim, lui, accumulait les précisions qui font vrai, ce qui lui a permis de décrire la décoration de l'ordre d'Élisabeth qui aurait été décernée à sa mère et la blessure qu'il aurait reçue en Bosnie-Herzégovine. Comme tous les menteurs, il se masque en jouant le rôle de celui qui ne supporte pas le mensonge. Le fait d'avoir trouvé un lieu où il a pu exprimer son imaginaire a permis à « l'image qu'il donnait dans ses films de rendre réel et vrai celui qu'il voulait être [44] ». Il aimait beaucoup raconter que lorsque Goebbels avait vu *La Grande Illusion* en 1937, bon connaisseur de l'armée il se serait écrié : « Mais nous n'avons jamais eu d'officiers de ce genre! » ; un spectateur lui aurait répondu : « Tant pis pour vous! » Cette anecdote permettait à Stroheim de désarmer les critiques. La transformation du petit Juif réel en aristocratique officier rêvé, lui a permis de devenir un monstre sacré. Dans un autre contexte socioculturel, on peut imaginer que la mythomanie de Stroheim aurait pu mal évoluer. Comme celle de Romand?

Cet exemple permet aussi de dire que sans adorateurs de mythes, il n'y aurait pas de mythomanes puisque les récits qu'ils nous servent correspondent aux événements qu'on espère. Quand les mythomanes transforment la réalité, ils parlent de nous. Leurs beaux récits flattent nos désirs les plus délirants. La complicité délicieuse entre le mythomane et ses adorateurs explique le grand nombre de Louis XVII au siècle du romantisme, la quantité de tsarines après la révolution russe de 1917 et le nombre étonnant aujourd'hui de médecins baroudeurs et même de survivants d'Auschwitz [45]. Puisque la fiction du mythomane lui permet, avec notre accord, de prendre une place de rêve dans un social désespérant, il en conclut que son imaginaire a modifié le réel et il se sent mieux. Il éprouvait une honte immense à cause de l'importance qu'il attachait au regard des autres. Mais tout est changé dans la représentation du réel et dans les interactions que cette image entraîne. Il s'est composé un portrait, une identité narrative qui le personnalise et l'apaise, au point qu'au moment où il dit son récit-fiction, il est d'une simplicité, d'une modestie éblouissante. Bien sûr, il ne peut pas s'empêcher de temps en temps de s'avouer que cette identité n'est que narrative, mais il lui est impossible de renoncer à un tel bénéfice parce que l'imaginaire mythique des individus et des groupes modifie la manière dont s'éprouve le réel. La fiction possède une grande valeur relationnelle parce que l'histoire lie l'orateur à son auditeur : « Vous vous rendez compte, il est médecin à l'OMS... Il a parcouru le monde... Et tellement simple avec ça... » « Le mythomane ment comme il respire, parce que s'il ne mentait plus, il ne respirerait plus [46] », il n'a pas d'autre vie.

L'imaginaire collectif ne s'organise pas autrement. Lorsqu'un groupe est humilié ou désespéré, il invente une belle histoire tragique et glorieuse pour unir ses membres et réparer leur estime de soi blessée. La fiction étant composée de détails vrais, il faut maintenant provoquer le réel afin de se prouver que la chimère est vivante.

Jorge est un petit Salvadorien âgé de 8 ans. Son père a émigré aux États-Unis et sa mère a disparu quand il avait 4 ans. On l'a trouvé errant dans les rues, maigre, hébété et noir de crasse. Une institution religieuse l'a recueilli, l'a lavé et nourri sans lui adresser la parole, tant les sœurs étaient débordées. Jorge s'est adapté à ce milieu sans mots. Il a repris un développement très lent, jusqu'au jour où un groupe de soldats a tenté de l'enlever à la sortie de l'église pour le dresser à la guerre [47]. L'enfant s'est débattu et a réussi à s'enfuir. Mais à partir de ce jour, il s'est mis à rêver à voix haute. Il revoyait la nuit, au cours de ses rêves involontaires, les rêveries qu'il avait inventées le jour. Il racontait les atrocités dont il aurait été témoin et s'étonnait de ne pas en souffrir. Étrange bien-être puisque, alors que les adultes pleuraient et paniquaient, l'enfant, paraissait serein. Il ne pouvait pas savoir que la dissociation entre la mémoire du trauma et l'engourdissement de l'affectivité est un symptôme classique de psychotraumatisme. Il se croyait plus fort que les autres et cette erreur le protégeait. Il s'inventa surhomme. Il racontait que, d'un seul saut, il pouvait franchir les montagnes, que sa force était si grande qu'il pouvait deviner toutes les pensées et tuer d'un seul regard les méchants qui lui voulaient du mal. Les religieuses de l'institution, ayant établi un rapport entre la tentative de rapt et ces curieux discours, l'écoutaient en soupirant, mais les visiteurs étaient convaincus qu'il s'agissait d'un schizophrène.

C'est à cette époque que Jorge a commencé à mettre à l'épreuve sa mythomanie pour se donner la preuve qu'il racontait le vrai. Depuis qu'il inventait ses incroyables récits, l'enfant allait mieux. Il reprenait confiance, il se sentait en sécurité, mais surtout, il établissait des relations humaines puisqu'il avait enfin de belles histoires à raconter. Parfois, il doutait bien sûr, mais pendant ses instants d'incertitude où le réel s'imposait, il ressentait la glace se refermer en lui et l'isoler du monde. Il lui fallait se prouver qu'il était bien un surhomme. Alors il a tenté le Diable pour le mettre en échec. Il a escaladé une paroi d'immeuble à mains nues, pour mieux sentir les aspérités, il a plongé dans les tourbillons d'un torrent pour se laisser entraîner par le flot, il s'est lancé entre les voitures pour s'en faire frôler. Chaque fois qu'il ne mourait pas, il se sentait plus gai car il avait la preuve qu'il était invincible. Il allait mieux. On le disait fou.

Tout récit de soi construit l'identité narrative et peut devenir un facteur de résilience, à condition que l'alentour familial et culturel lui donne un statut, un réseau de rencontres où il pourra trouver une expression partageable. Quand on a connu une situation extrême, quand on a été chassé de la normalité [48], plusieurs stratégies sont possibles. Quand le fracas a été trop grand, il arrive qu'on éprouve un étrange soulagement à se laisser aller vers la mort. Mais quand la blessure ne nous a pas totalement détruits et que les ressources internes imprégnées au cours de nos attachements précoces nous donnent encore la force de nous raccrocher aux autres, la réintégration dans la normalité dépend alors de l'alentour affectif, social et culturel.

## Un vétéran de guerre âgé de 12 ans

Les enfants-soldats ont toujours existé. Les grands garçons qui roulaient le tambour ou jouaient du fifre dans les armées de la République tombaient souvent en première ligne. Les Marie-Louise des armées napoléoniennes, les grands garçons de la Wehrmacht en déroute ont été sacrifiés pour retarder de quelques heures l'avancée des armées alliées. Sans compter les 14 000 petits garçons qu'on a fait sauter sur les mines au cours de la guerre Iran-Irak afin de permettre aux soldats adultes d'attaquer ensuite sur un champ déminé. Mais le xxᵉ siècle vient d'inventer une nouvelle manière d'être enfant-soldat. Il ne s'agit plus d'en faire des analogues de soldats, en plus petit. On préfère maintenant utiliser leurs caractéristiques d'enfants pour les adapter à la guerre moderne, la guérilla. En même temps que se développe la guerre virtuelle des machines, on constate la disparition des champs de bataille. Les armées s'affrontent de moins en moins en rase campagne et de plus en plus au coin des rues, sur la place des villages ou sur les routes de brousse [49]. Une poignée d'enfants armés de mitraillettes jolies et légères comme des jouets, peuvent facilement bloquer une route, contrôler les passagers d'un bus, aider à expulser les gens de leur maison, participant ainsi de manière efficace à ces guerres sans fronts où les civils désarmés deviennent des cibles. Il ne s'agit plus d'acheter des troupes de soldats avec leurs uniformes et leurs belles dentelles payées par les aristocrates, il n'est plus temps de lever des armées populaires pour défendre la Nation, il faut maintenant tuer de-ci de-là, détruire des civils en faisant du spectacle afin de démoraliser les familles et de désorganiser ceux qui ne se soumettent pas totalement à la pensée des agresseurs. Dans un tel mode de guerre, les enfants ont une place de choix.

Ça fait un drôle d'effet de bavarder avec un petit garçon de 12 ans qui vous déclare gravement : « Je suis un vétéran de la guerre du Mozambique. » Il vient réclamer sa prime de démobilisation et se demande ce qu'il va devenir. Comme 2 000 petits copains et quelques copines, il a passé cinq ans à la guerre. Il est mignon, mais son apparence est étrange. Il déclenche un je-ne-sais-quoi de malaise. Trop grave pour son âge. Recueilli par l'Amosapu [50], on le décrit comme très calme, lointain, ténébreux, presque insensible à ce qui se passe autour de lui. On pourrait le prendre pour un petit dur, dépourvu de sentiment si, de temps en temps, une cause anodine ne provoquait une explosion de rage ou de larmes inattendues. Il fait son petit homme et se vexe quand on lui pose les questions qu'habituellement on pose à un enfant. S'il ne paraissait pas si adulte dans ses comportements et si raisonnable, il évoquerait la vigilance glacée des enfants maltraités. Il dit qu'il ne l'a pas été. Pourtant, la plupart de ces enfants ont subi des traumatismes inimaginables : anthropophagie forcée, contrainte à l'inceste avec leur mère, à tuer leurs propres parents devant les habitants du village sous peine d'être assassinés comme l'ont été leurs petits copains qui n'ont pas pu passer à l'acte. Après ces incroyables traumas, Boia Efraim Junior décrit quatre tendances évolutives [51]. La négation constitue le mécanisme de défense le plus habituel : « Je n'ai fait qu'obéir sinon, c'était la mort », « un autre aurait fait pareil ». L'image de l'atrocité s'imprègne dans la mémoire de l'enfant et resurgit soudain quand on ne l'attend pas. Si l'enfant ne se glaçait pas ou n'anesthésiait pas l'émotion associée à l'image-souvenir, aucune vie psychique ne serait possible. Il ne pourrait que hurler son horreur comme il le fait parfois, sous forme d'explosion de rage surprenante. Le déni lui permet de vivre encore un peu, comme un amputé.

Un autre mécanisme de défense très fréquent consiste à dévaloriser les victimes : « Les gens que j'ai tués ne valaient pas grand-chose. C'étaient des sauvages, de race inférieure, pas tout à fait des hommes. Ce que j'ai fait n'est donc pas vraiment un crime. Parfois même, c'était un bien, une épuration. » Le mépris permet à ces enfants d'amoindrir leur culpabilité.

L'identification à l'agresseur que l'enfant tente de surpasser en cruauté n'est pas, sur le terrain, le mécanisme de défense le plus fréquent. L'observateur en prend facilement conscience tant il est terrifiant. C'est le mécanisme d'identification habituel dans les écoles de terrorisme parce que, dans ce contexte, les enfants s'attachent à l'instructeur et souvent l'admirent. Il arrive que le cheminement se fasse vers le sadisme où la jouissance est provoquée par la terreur que l'enfant tout-puissant voit dans les yeux de celui ou de celle qu'il soumet.

L'immense majorité de ces enfants détruits se défendent par le déni qui les anesthésie et la rationalisation qui leur apporte des arguments pour dévaloriser les victimes afin de relativiser leur crime. Tous ces mécanismes de défense sont des altérations de la personnalité. Aucun n'est facteur de résilience, de reprise de développement.

Ce qui est stupéfiant et source d'enseignement, c'est que « beaucoup d'enfants ont réussi à garder leur intégrité [52] ». Ils ont tenté de se purifier grâce aux rituels des guérisseurs de leur culture, ils ont retrouvé une famille et même sont retournés à l'école.

La plupart des observateurs sur le terrain témoignent de l'hypermaturité des petits combattants. Presque tous augmentent leurs possibilités intellectuelles. Ils discutent mieux, découvrent de nouveaux centres d'intérêt, acquièrent une culture politique et améliorent leurs performances scolaires [53].

Mohammed est âgé de 11 ou 12 ans. Comme tous les très jeunes anciens combattants de Sierra Leone, il a probablement beaucoup souffert. Il ne l'admettra jamais et peut-être même ne s'en rend-il pas compte. En quelques semaines, il apprend à maîtriser le français et devient brillantissime en calcul [54]. Tout n'est pas que souffrance dans un pays en guerre. Entre les moments terrifiants qui abîment le corps et la personnalité, quelques instants de paix et même de bonheur sont surinvestis. Dans un tel contexte, toute activité intellectuelle provoque un sentiment de beauté et de liberté. D'abord, on est sécurisé puisque le simple fait de comprendre prend une fonction adaptative dans un milieu hostile. Le danger imminent provoque des troubles de l'attention, il focalise sur l'agresseur et isole du monde, les performances intellectuelles sont ainsi paradoxalement améliorées.

Il s'agit d'une victoire sur le fil du rasoir qui dépend de la rencontre avec un seul adulte. Toutes les observations de terrain faites aujourd'hui avec des enfants en guerre, en Croatie, au Kosovo, en Israël, en Palestine ou au Timor, confirment l'étonnement des éducateurs qui, dès les années 1950, constataient « l'excellence des résultats scolaires [55] » des enfants traumatisés par la guerre. En recevant une telle information, la réaction malveillante consisterait à dire : « Alors, vous dites qu'il faut une bonne guerre pour améliorer la scolarité des enfants ? » On peut tenter de comprendre autrement.

## Quand la paix devient effrayante

Edmond n'a jamais pu aller à l'école à cause de la guerre. Quinze jours par-ci, trois mois par-là, impossible de tisser un lien, impossible de suivre la moindre scolarité. Les placements successifs de cet enfant sans famille aggravent son énorme retard. Il a 10 ans quand un juge le confie à une famille d'accueil qui l'envoie à l'école où ses résultats sont catastrophiques. Non seulement l'enfant sait à peine lire et écrire, mais il ne sait même pas qu'il est interdit de poser son livre sur la table pour le recopier lors d'un examen. L'enseignante humilie et punit Edmond qui fugue à la récréation. Le hasard des jugements l'arrache encore une fois à un début de famille et l'enfant recommence son parcours de chaos institutionnel. L'année suivante, il est à nouveau confié à cette famille qui le remet dans la même école, mais cette fois-ci, une nouvelle institutrice accepte de tisser un petit lien avec lui. Quand un enfant est suffisamment entouré par son groupe, une parole ou un sourire seront noyés parmi beaucoup d'autres, mais quand il est abandonné en plein désert affectif, la moindre parole, le plus petit sourire constituent pour lui un événement majeur. Or c'était la première fois depuis sept ans qu'on souriait à cet enfant de 10 ans. Les mots de l'institutrice lui demandaient simplement de faire un petit jeu de grammaire et de calcul afin d'avoir l'occasion d'en parler avec elle. L'effort intellectuel devenait un jeu magique. Non seulement il estompait la tristesse du réel, mais en plus il apportait l'espoir d'une relation affective. L'effort scolaire avec cette institutrice apaisait sa détresse. Le premier nœud d'un lien venait d'être tissé et dans la fulgurance de cette nouvelle relation, l'école venait de changer de signification. Ce lieu d'enfermement et d'humiliation venait de se métamorphoser en scène magique de jeux et de rencontres. Edmond s'est réveillé et, émergeant de sa brume intellectuelle où l'avaient plongé l'angoisse, l'abattement et l'isolement affectif, il s'est métamorphosé en bon élève.

La plupart des 300 000 enfants-soldats connaissent une aventure analogue [56]. Beaucoup d'enfants ne savent plus comment on fait pour être enfant. Quand on ne sait que faire la guerre, on a très peur de la paix. Quand on n'a plus de famille, quand on ne peut plus rentrer dans son village, quand, à l'âge de 12 ans, on est responsable d'autres enfants mutilés, alors la paix devient effrayante. Comment fait-on pour vivre dans un pays pacifié où il n'y a aucune structure affective ou culturelle autour de soi ? On se retrouve dans la situation de ces enfants séparés de leur famille maltraitante et placés dans une institution où l'isolement constitue un traumatisme supplémentaire. Quand il n'y a plus d'amis, ni de famille, ni d'école, ni d'événements ritualisés, la résilience est impossible. Alors, ces enfants se regroupent et découvrent les mécanismes archaïques de la socialisation. Ils forment des bandes armées qui dévastent le pays, ils offrent leurs bras à des milices privées ou à des adultes qui sauront les exploiter. Ce phénomène, qui est facile à observer dans tout pays après une guerre, est en train de se développer dans nos pays en temps de paix.

La poussée de délinquance juvénile a commencé en Europe dès 1950. Les petits *suscia*, enfants des rues de l'Italie affamée, les jeunes Allemands d'un pays ruiné ont pratiqué une délinquance de survie, adaptée à l'effondrement qui les entourait. Un peu plus tard, une urbanisation insensée, la fabrication d'abris-logements empêchant les rencontres, provoqua en Autriche, en France et en Angleterre l'augmentation d'une délinquance qui n'avait pas cette fonction de survie puisque ces pays étaient riches. Le Portugal très pauvre et le Japon ruiné n'ont pas connu ce

phénomène parce que leurs cultures encore ritualisées
organisaient l'alentour des jeunes. En Europe, les perfec-
tionnements de la technologie urbaine facilitaient la
construction de logements empilés, de résidences sans
lieux de rencontre et de communications dépourvues de
sentiments [57]. Dans un tel contexte, la famille cesse
d'être un lieu de culture et de façonnement affectif.
Les seuls événements sont provoqués par les copains
du quartier. L'école perd son sens. Quelques groupes
d'enfants échappent à l'influence des adultes pour se
soumettre à l'emprise d'un chef de bande. La délinquance explose mais les abus de chiffres vrais finissent
par donner une impression fausse : « Le nombre des
mises en cause de mineurs est passé de 93 000 en 1993
à 175 000 en 2000 [58]. » Les déclarations d'agression qui
se font plus facilement gonflent un peu ce chiffre, mais
incontestablement les infractions augmentent, ce qui ne
veut pas dire que le nombre de délinquants augmente.
Une très petite proportion des mineurs judiciarisés (5 %)
deviennent « suractifs » et réalisent la majorité des vols,
des agressions, des trafics et des viols [59]. Ces petits
groupes très délinquants se recrutent pour une moitié
dans les HLM de banlieue et pour l'autre moitié dans les
maisons bourgeoises qui entourent ces quartiers. La
pauvreté n'est donc pas le déterminant de la délinquance. Quand on parle un peu rapidement de la
« délinquance des banlieues », on commet une grande
injustice en disant le vrai, parce que cette formulation
ne permet pas de parler des 95 % des habitants de ces
quartiers qui aimeraient travailler, aimer et qu'on leur
fiche la paix.

Ce qui n'empêche que l'existence de ces petits groupes de jeunes âgés de 13 à 18 ans, hyperactifs et instables, constitue un symptôme de notre société. Il ne s'agit pas de la rébellion des adolescents qui s'opposent aux adultes pour découvrir d'autres modes de socialité, il s'agit plutôt d'un mode d'expulsion hors de soi d'une violence qui n'a pas été structurée par l'entourage. Cette « violence de proximité [60] » s'apprend dès les premières années, quand les petits garçons insultent leurs proches à un stade de développement où ils ne sont pas encore capables de se rendre compte des dégâts que leurs mots provoquent dans le psychisme des autres. Dès l'âge de 3 ans ils frappent leur mère qui se met à pleurer parce que « personne ne lui dit comment faire [61] » puis, entraînés à l'expulsion sans frein de cette violence, ils s'en prennent à l'épicière, au conducteur de bus et à l'enseignant. Ivres de leur petite puissance, ils n'apprennent à établir de relation que par les mots qui blessent et les coups qui font mal. L'insulte « guerrière » prépare l'« exploit » physique. Ils sont prêts à établir des rapports de domination puisqu'ils n'ont rien appris d'autre. Alors apparaît le chef, celui dont les injures font rire et dont le courage physique pour les vols et la bagarre provoque l'admiration. C'est une délinquance de plaisir et non pas de survie, une sorte de sport à risque puisque ces vols n'ont pas de rentabilité. Dans cette socialisation archaïque, les adultes se laissent dominer parce qu'ils n'ont pas su prendre leur place au cours du façonnement des premières années.

Un petit indice permet de proposer une solution. Vers l'âge de 19 ans, cette violence de proximité, ce plaisir expulsif se calme souvent. Peu de jeunes continuent à vivre de cette manière quand ils rencontrent quelqu'un qui les responsabilise. Au lieu de les menacer, en réponse à leurs provocations, au lieu de leur faire la morale, ce qui les fait bien rire, quelqu'un dit à ces jeunes : « Je compte sur toi.» Une métamorphose relationnelle, un changement de trajectoire existentielle s'ensuit régulièrement. L'engagement social et la rencontre affective stabilisent ces jeunes et donnent sens à leurs efforts. La loi est enfin intériorisée... avec quinze ans de retard ! Le travail de réparation que l'on commence à proposer à ces jeunes délinquants constitue certainement un facteur adapté à leur résilience. « De la délinquance à la découverte de la responsabilité [62] », la réparation leur offre un moyen transitionnel d'apprendre à aimer et à se socialiser autrement que par le plaisir que leur apporte leur violence.

Un grand nombre d'enfants-soldats sont devenus résilients malgré des traumatismes fous parce qu'ils avaient reçu, au cours de leurs premières années, l'empreinte d'un attachement serein qui leur a permis de garder un peu d'espoir au milieu d'un réel insoutenable. Quand l'horreur a été dépassée, ils ont pu reprendre un type de développement parce que la culture a disposé autour d'eux quelques hommes, quelques écoles, quelques tuteurs de résilience. Ceux qui n'ont pas reçu ces deux types de ressources, une empreinte affective et un projet d'existence, n'ont pas pu devenir résilients.

Les jeunes délinquants suractifs n'ont pas eu de traumatismes. Souvent même, leurs conditions matérielles ne sont pas mauvaises. Mais ils n'ont pas acquis les conditions de la résilience : pas de stabilité affective quand ils étaient petits, apprentissage non conscient des rapports de domination, pas de circuits sociaux pour rencontrer des substituts. Ceux qui, vers leur vingtième année, ont eu la chance ou le talent de rencontrer une personne à aimer et un réseau culturel, ceux-là s'en sont sortis.

J'ai souvent été étonné par la manière dont ces jeunes ressentent leurs épreuves. Les enfants-soldats murmuraient qu'ils n'avaient pas vraiment souffert et haussaient les épaules quand on parlait de leur héroïsme. Ce qui n'était pas du tout le cas des délinquants jouisseurs qui se sentaient persécutés par les « bourges » et se prenaient pour Superman.

Pour ces deux catégories de jeunes gens, c'est la famille et l'école qui ont constitué les plus grands facteurs de résilience et leur ont permis d'évoluer. Les enfants-soldats ont choisi des écoles lointaines et rencontré des familles qui leur permettaient de ne pas revenir au village, alors que les Rambos de banlieue, même quand ils étaient insérés, refusaient souvent de quitter leur quartier [63]. Les enfants-soldats fuyaient leur passé, alors que les petits Rambos craignaient la nouveauté.

Dans les deux cas, il y a eu une catastrophe psychique, une énorme déchirure chez les petits soldats, une absence d'étayage qui aurait permis la construction de la personnalité des petits Rambos.

## Malheur aux peuples qui ont besoin de héros

Quand on se sent mal, quand on a honte de soi et que soudain l'on découvre qu'un autre, appartenant au même groupe, donne de nous une image glorieuse, sa réussite nous répare. La performance du héros réhabilite l'image altérée que nous présentions aux yeux des autres. Si nous nous sentons forts, heureux et en paix, nous cherchons autour de nous des personnes sympathiques et disponibles pour poursuivre notre développement. Mais si nous nous sentons faibles ou injustement dominés, nous aurons besoin d'un héros pour nous représenter avantageusement et réparer notre manque d'estime de soi. Le héros en ce sens a une fonction de défense par délégation. Je n'admire plus Tarzan. Pourtant, je l'ai beaucoup aimé quand j'étais petit, fragile et dépendant. Ma faiblesse me faisait croire que si j'avais été musclé, j'aurais pu dominer la nature et venir à la rescousse des animaux. En fait, Tarzan donnait en public l'image belle et apaisante à laquelle j'aspirais parce que l'idée d'être un jour musclé, bon nageur et aimé comme lui me sécurisait. Et puis en vieillissant, en prenant de la force, des diplômes et un peu trop de poids, je n'ai plus ressenti le besoin de ce Monsieur Muscle un peu débile et vaguement colonialiste. Je me suis même surpris à penser qu'aujourd'hui, Tarzan avec son énorme retard de langage (« Moi Tarzan, toi Jane [64] ») serait orienté vers un centre de rattrapage scolaire. Ce n'était plus mon héros. Je n'avais plus besoin de son image réparatrice. Plus je me sentais fort, plus Tarzan me paraissait cucul. Je comprenais sans peine que les adultes d'après guerre aient eu besoin de héros comme on a besoin de pansements. Le Père tranquille [65] mettait en scène un gentil Français moyen, vous croyez qu'il était planqué, eh bien pas du tout, sa soumission apparente lui permettait de résister en secret à l'armée d'Occupation.

Exactement à la même époque en 1946, les Allemands mettaient en scène des héros qui leur permettaient de se faire croire qu'ils s'étaient presque tous opposés au nazisme et que seuls quelques assassins parmi eux avaient commis toutes les horreurs [66].

Malheur à ceux qui ont besoin de héros, ils se débattent pour s'offrir une réparation imaginaire. Ce rafistolage est un facteur de protection à condition de ne pas envahir le réel. Le fait d'admirer Tarzan m'a donné l'espoir de devenir un jour comme lui, mais si j'avais renoncé à toute vie de famille et à toute aventure sociale pour devenir Monsieur Muscle et me couvrir le sexe d'une peau de bête, je me serais noyé dans l'image qui me réparait.

C'est souvent ce qui se passe quand les héros deviennent des sauveurs de nations vaincues ou de groupes humiliés. Ils ont une fonction thérapeutique, mais les effets secondaires de ce traitement sont trop souvent coûteux. Un héros n'est jamais loin du sacrifice puisqu'il a pour fonction de réparer une humiliation. Mais quand la blessure est une faute (« j'ai commis un crime », « je n'ai pas eu le courage », « j'ai été vaincu »), le héros devient un rédempteur qui payera pour moi. Je vais l'adorer parce que sa mort glorieuse répare mon image et rachète ma faute, mais dès qu'il aura payé, je me sentirai quitte, soulagé, réparé, en droit de recommencer. Alors il me faudra chercher d'autres héros à sacrifier pour mon plus grand bien-être. Ce crime au nom du Bien est une morale perverse, un sacrifice par délégation qui répare les survivants... momentanément. La fabrication des héros [67] sert souvent à légitimer la violence : « Nous ne faisions que nous défendre contre l'oppresseur. » « Ils sont morts en héros. » « Ils sont plus grands morts que vivants... » Toutes ces phrases de sépulture témoignent de l'érotisation de leur violence. Quand le baiser de la mort les emporte, leur triomphe est encore plus grand car les morts sont tout-puissants, on ne négocie pas avec eux. Les récits héroïques racontent toujours la même tragédie merveilleuse. L'ennemi était présent, partout, invisible, lorsque soudain un jeune s'est levé et l'a terrassé au prix de sa vie. Le héros a émergé de notre groupe, un peu au-dessus de la condition des hommes, un demi-dieu en quelque sorte. Mais quand il nous a sauvés en feintant la mort, il a transgressé la condition humaine. Peut-être même a-t-il pactisé avec le Diable ? D'ailleurs, quand on lui parle et qu'il nous raconte les fascinantes horreurs dont il a triomphé, il exhale encore quelques bouffées d'enfer. Les héros, décidément, ont intérêt à mourir s'ils veulent qu'on les aime encore.

Tout jeune qui se fait à lui-même le récit de son traumatisme se panse comme un héros en situation exceptionnelle. Il doit se sauver et il doit sauver. Il a été marginalisé par la maltraitance, la guerre, l'inceste ou un accident grave, ce qui lui est arrivé n'est pas banal, le traumatisé ne peut plus être insipide. Comme Ivan le Terrible, il a été paysan, mais l'invasion des Teutons l'a mis en situation d'être tyran. Comme le petit Bara, tambour des armées républicaines, massacré à coups de faux et de fourche à l'âge de 13 ans parce qu'il a refusé de crier « Vive le roi », il mérite de vivre pour l'éternité car sa mort a glorifié les armées républicaines. L'ennui, c'est que ce genre d'éternité ne dure jamais longtemps. Tout le monde a oublié le petit Bara [68]. Ceci explique pourquoi une armée clandestine fabrique plus de héros qu'une armée régulière trop fonctionnarisée, pas assez marginale pour ça. Puisque tout groupe humilié se panse avec un héros, un enfant traumatisé, marginalisé, honteux de ce qui lui est arrivé et se sentant pourtant un être exceptionnel devient avide de héros.

## Au bonheur du petit blessé qui a besoin de héros

« Je ne sais pas pourquoi j'ai l'admiration si facile », me disait Gérard, âgé de 14 ans. « Un enfant de l'Assistance qui arrive dans une famille, c'est un enfant qui porte avec lui un drame caché [...], il peut être le résultat d'un viol, d'un inceste, l'enfant d'une prostituée [...], il peut être aussi la victime de parents maltraitants [...]. Ce qui est sûr, c'est que ses parents, en particulier sa mère, sont des parents abominables [69]. » Baigné dans la honte de ses origines fangeuses, l'enfant se mit à admirer les musiciens : « Il fallait absolument que je fasse de la musique, que je trouve quelque chose qui m'apaise. C'est ainsi qu'à 9 ans, j'ai décidé, sans rien demander à personne, d'aller me renseigner à l'harmonie municipale du Creusot [70]. » Le fait d'admirer des héros musiciens permettait à l'enfant de s'offrir une image d'identification plaisante. En devenant musicien comme ses héros, il réparait la honte d'être né de quelqu'un « sûrement abominable ». Jusqu'au moment où, apprenant que son père était Jacques Fesch, guillotiné après avoir découvert la spiritualité et proposé à la cano-

nisation, cette « découverte l'oblige à se reconstruire [71] ».
Les héros musiciens, en mettant de la beauté dans sa vie
avaient soigné la honte de ses origines et permis de moins
souffrir en attendant la révolution qui allait le « transformer de l'intérieur ».

Le théâtre de l'héroïsme révèle nos blessures. Les
révolutionnaires du XIX$^e$ siècle héroïsaient Bara, le petit
tambour qui avait osé mourir pour l'idée de République
mise en péril par les Vendéens. Romand, poussé dans le
néant par son échec en médecine héroïsait Kouchner qui,
lui, avait réalisé ses rêves. Notre soif de héros révèle nos
points faibles que ces personnages compensent quand
nous les admirons. Les enfants fracassés ont besoin de
héros, ces délégués narcissiques qui plantent en eux
l'espoir d'une identification réparatrice. Ça marche
comme marchent les images de parents : dans l'enfance,
on les vénère, à l'adolescence, on les critique et, à l'âge
adulte, on s'en différencie en reconnaissant leur héritage.
Ce qui veut dire que tous les enfants ont besoin de héros
puisqu'ils se sentent faibles. Ces personnages de théâtre
ou de bandes dessinées mettent en scène leurs désirs
compensateurs : « Un jour, je serai fort comme lui. » Ce
qui veut dire aussi qu'une société fracassée ne propose pas
à ses enfants le même type de héros qu'une société pai-
sible. Les héros sauveurs de pays en guerre ne dessinent
pas la même image que les idoles des périodes de paix. Un
groupe humain désespéré accepte de payer très cher le
prix du sacrifice qui restaure son image et rachète ses
fautes. Alors que dans un pays en paix, certains héros
gardent leur fonction symbolique. Mère Teresa ou l'abbé
Pierre sont « mis-là-pour » représenter la générosité de

ceux qui ont la chance de ne pas trop souffrir et qui désirent pourtant donner un peu de bonheur aux blessés de l'âme et de la société. À l'inverse, un footballeur, un chanteur ou une princesse devenus idoles des foules n'ont pas pour fonction de réparer, ils doivent plutôt poétiser, dynamiser, créer un bel événement lumineux et fugace, dans une société fade où rien ne se passe. Zidane, idole du football pour un grand nombre de garçons, n'est un héros symbole d'intégration par le sport que pour une partie d'entre eux. Édith Piaf, qui a fait pleurer de beauté toute une génération, n'est le symbole de l'intégration des enfants des rues par le chant que pour la minuscule partie de ceux qui connaissent son histoire. Quant à Lady Di, Loana, ou les vainqueurs « historiques » des jeux Olympiques, ils sont héroïques à la vitesse d'un flash, révélant ainsi qu'une culture en paix fonctionne dans l'immédiat... comme la drogue. Les idoles ne sont pas faites pour représenter, elles sont injectées dans la culture pour jouir. Quand les demi-dieux ne descendent plus de l'Olympe et se contentent de monter dans des Mercedes, ils fabriquent une sorte de réalité en images, comme si seule comptait l'apparence des choses, l'immédiat qui n'a pas le temps de faire un récit. Une idole n'est pas aimée pour ce qu'elle représente, sinon ce serait un symbole, elle est aimée pour ce qu'elle provoque, l'événement, l'émotion, l'extase, l'hystérie collective, et puis l'oubli.

Les héroïnes connaissent le même cheminement. En temps de guerre, ces femmes réparent l'estime des personnes détruites. Les amazones dont les hommes ont disparu acceptent de faire des enfants avec des mâles étrangers, puis elles prennent les armes et tuent les géniteurs. Jeanne d'Arc, Lucie Aubrac témoignent de la participation des femmes aux guerres de libération et, en temps de paix, elles gardent cette fonction symbolisante. Le personnage de Marie Curie ou de Jacqueline Auriol permet aux femmes de démontrer qu'elles contribuent à la construction de leur civilisation. Mais quand l'existence devient fade et dépourvue d'événements identifiants, les femmes se mettent à adorer des images. Brigitte Bardot ou Marilyn Monroe, superfemelles, laissent aujourd'hui la place à des idoles sans lendemain, portemanteaux, porte-robes ou porte-strings, vénérées sur des couvertures de magazine ou dans des publicités qui fabriquent des images idolâtrées.

La pulvérisation des héros de notre culture et leur transformation en idoles est un indice de paix qui entraîne une difficulté d'identification des jeunes. Ceux qui parviennent à héroïser les combats humanitaires de l'abbé Pierre ou de Bernard Kouchner, ou la guérilla de Che Guevara vont se mettre à l'épreuve, découvrir ce qu'ils valent et parvenir ainsi à mettre un peu de sens dans leur vie. Ce n'est pas le cas de la plupart des jeunes qui s'identifient à des héros de papier. Quand des lycéens âgés de 17 ou 18 ans ont eu à répondre à des questionnaires, ils ont désigné sept cents héros différents[72]. Beaucoup de personnages de fiction, de spectacles artistiques ou sportifs, quelques savants, écrivains ou héros scolaires ont été récités sans émotion ni effet identificatoire. Ces « héros en pantoufles[73] » provoquent de petits événements psychiques au fond de notre fauteuil. Signe de société en paix, ils sont en même temps la preuve de l'absence d'intégration de ces jeunes dont l'identité est fragile.

La guerre qui vise à détruire ceux qui veulent nous détruire, ou la quasi-guerre des sociétés en voie de construction provoquent tellement de traumatismes que les groupes blessés ont besoin de héros pour se réparer. Cette intégration violente qui cherche à soumettre l'opposant, hésite entre la gloire ou la mort et souvent associe les deux. Il faudra bien qu'un jour on arrive à inventer une société en paix, capable d'intégrer ses jeunes et de les personnaliser sans les traumatiser. Peut-être notre société a-t-elle privé les jeunes de rituels d'intégration ?

## L'angoisse du plongeur de haut vol

L'adolescence en Occident est de plus en plus précoce et de plus en plus durable. L'amélioration des conditions éducatives permet à un jeune de 12 ou 13 ans de se trouver dans la situation du plongeur qui se demande de quelle hauteur il va devoir sauter. Y a-t-il de l'eau dessous ? Son corps va-t-il tenir le choc ? Et son âme va-t-elle lui donner le courage de se lancer dans le vide ? Cette métaphore du plongeur permet d'illustrer l'attitude d'un nombre croissant d'adolescents pour qui le désir de se lancer dans la vie est aussi grand que la peur de sauter. Il en résulte une sorte d'inertie bouillonnante où le refuge dans le lit n'est jamais loin de l'explosion brutale. Les ados se ralentissent, font traîner l'école, rêvent qu'ils vont faire un plongeon merveilleux, reprochent à la société de ne pas avoir mis assez d'eau dans la piscine et à leurs parents de ne pas les avoir préparés au plongeon. Ils se sentent mal tant ils se crispent dans cette rigidité fébrile. Le passage à l'acte prend pour eux l'effet d'une libération. Ils se sentent soulagés après une explosion puis, quand ils parviennent à en faire un récit, ils améliorent la construction de leur identité : « J'ai connu un événement extraordinaire », « je suis celui qui a été capable de surmonter une terrible épreuve ».

Tous nos progrès sociaux et culturels concourent à développer cette souffrance. Les progrès de la compréhension de la petite enfance, la tolérance familiale, l'incitation à poursuivre des études, l'amélioration des techniques dont l'apprentissage retarde l'intégration des jeunes, tout est en place pour faciliter leur inertie bouillonnante. Sans compter l'énorme composante affective qui désormais doit trouver un nouveau mode d'expression : « J'ai appris à aimer de manière sereine », pourraient penser ceux qui, au cours de leurs petites années, ont acquis un attachement sécure : « Puisque je suis aimable, je sais qu'on va m'aimer. Je vais donc m'arranger pour agir et rencontrer celui ou celle qui saura m'aimer. Nous nous respecterons et nous entraiderons. » Ces jeunes-là passent une adolescence émouvante et surmontable. Ce n'est pas le cas d'un adolescent sur trois qui, ayant acquis un attachement insécure, devient encore plus angoissé quand apparaît le désir sexuel.

Le virage de la parole, au cours de la troisième année avait été un moment extraordinaire, la découverte d'un nouveau monde qu'on devenait capable de créer uniquement en agitant la langue. Ce jeu fabuleux améliorait la relation avec nos êtres d'attachement et enrichissait le monde qu'on pouvait partager avec eux dès qu'on parvenait à le faire vivre avec nos mots. Quand le feu du désir

sexuel apparaît, lors de la puberté, il provoque un autre
virage plus difficile à négocier puisqu'il s'agit maintenant
de s'appuyer sur les bases affectives imprégnées au cours
des petites années, afin d'acquérir une autre manière
d'aimer. Il s'agit de garder l'attachement aux figures
parentales, et de découvrir que l'objet de nos nouveaux
désirs nécessite d'autres comportements. L'attachement à
nos parents était très sexué (une maman, ce n'est radicale-
ment pas un papa) mais totalement dépourvu d'appétence
sexuelle. Si l'image d'une possibilité sexuelle avait surgi,
l'angoisse, l'horreur ou la haine nous auraient poussés à
une autonomie violente. La plupart du temps, quand tout
se passe bien, après la crise l'adolescent garde l'attachement à ses parents. Puis il devra apprendre à aimer son
conjoint d'une autre manière, car celui-ci aura un double
travail à faire : être l'objet du désir de son partenaire et
devenir aussi l'objet de son lien affectif.

Ce virage est difficile à négocier parce qu'il impose de
coordonner des pulsions hétérogènes : « Je m'engage
avec l'empreinte de mon passé, avec l'idée que je me fais
de moi, avec le rêve de mon avenir », « je dois me dégager
de ceux à qui je suis encore attaché. Je dois m'en affran-
chir si je veux poursuivre mon développement affectif,
sexuel et social ».

L'adolescent doit intégrer des forces de natures différentes souvent même opposées. La pulsion hormonale
joue un rôle déclencheur dans le surgissement de l'appétence sexuelle. La testostérone fait flamber les garçons et
allume les filles : le travail consiste alors à façonner cette
pulsion. Comment l'exprimer ? Comment le faire ? Pour
donner à cette force jaillissante une forme acceptable, il

faut s'engager avec notre manière d'aimer dans les circuits affectifs proposés par l'objet d'amour et par notre culture. Quand tout se passe bien, ce n'est déjà pas facile. Alors vous admettrez que, lorsque l'un des deux partenaires a connu des difficultés de développement affectif ou lorsque la culture ne propose pas de modèle de comportements amoureux, ce sera encore plus difficile. Quand un déficit relationnel précoce n'a pas été corrigé par le climat familial lors des interactions quotidiennes, le trouble affectif explose à l'adolescence.

Assez paradoxalement, quand les troubles sont visibles, ils sont plus faciles à affronter. On peut aider un enfant à modifier son attachement, lui apprendre à aimer de manière plus agréable. Ceci explique probablement pourquoi, quand on suit longtemps un groupe d'enfants ayant appris précocement un style d'attachement insécure (ambivalent, évitant ou confus), on constate qu'un tiers de ces enfants s'améliorent de manière surprenante à l'adolescence et acquièrent un attachement sécure [74].

## Même les plus costauds ont peur de se lancer

À l'inverse, on a la surprise de constater qu'un quart des enfants à l'attachement serein s'effondrent à l'adolescence et deviennent insécures. Nous n'avions probablement pas su observer les troubles invisibles de l'attachement. Les enfants trop sages, trop bien adaptés, font plaisir aux adultes ou plutôt les soulagent. Leur trop bon comportement rend l'adulte moins attentif. Il entoure moins le petit et laisse se développer un équivalent phobique, un hyperattachement d'enfant qui n'ose pas se lancer seul et flatte ainsi l'adulte en lui obéissant trop bien. Les enfants trop protégés paraissent tranquilles et épanouis puisqu'ils n'ont jamais l'occasion de se mettre à l'épreuve. On les croit solides puisqu'ils n'ont jamais révélé leur faiblesse, jusqu'au jour où un minuscule événement les met à terre. Alors, ils reprochent à leurs parents ahuris de ne pas les avoir armés pour la vie, ce qui est injuste pour ces parents dévoués mais n'est pas faux. Sans compter que souvent ces enfants anormalement équilibrés, étayés par un entourage constamment attentif, masquent leur craintivité en obéissant facilement. À l'adolescence, ils se représentent leur relation passée comme une soumission, une emprise contre laquelle ils se rebellent par des explosions de haine.

Il y a bien sûr des familles totalitaires où un parent impose sa conception de l'existence à la maisonnée et parvient à contrôler toute vie intime. Les enfants qui se développent dans ces clans familiaux sont fortement façonnés par ce cadre totalitaire. Ils s'y adaptent parce qu'ils ne peuvent pas faire autrement sous peine d'être éliminés.

Ce qui flambe à l'adolescence, ce qui provoque l'épanouissement ou l'effondrement, c'est le mode d'attachement mis en place précocement. On peut alors tenter de prédire quel type d'adolescence feront les enfants maltraités. À l'âge de 18 mois, 75 % des enfants maltraités manifestent des modes d'attachement altérés [75] (contre 35 % pour la population générale). L'intensité des troubles est variable, mais dans l'ensemble, ces bébés sont très évitants, ils ne soutiennent pas le regard, ne répondent pas au sourire et réagissent vaguement aux informations loin-

taines. Les plus altérés sont certainement les enfants
négligés, ceux qui ont été abandonnés, parfois même isolés dans une chambre ou un placard pendant des
semaines ou des mois. Hébétés et confus, toute stimula-
tion les terrorise, surtout les sollicitations affectueuses qui
provoquent souvent des autoagressions.

Autant une population d'enfants ayant acquis un attachement serein gardera ce style de lien jusqu'à l'adolescence où seulement un sur quatre prendra mal le virage,
autant la cohorte des enfants dont l'attachement est troublé manifeste des styles affectifs instables. Le mode d'attachement dépend, dans ces cas-là, de l'interaction avec la
personne rencontrée. La plupart des enfants négligés
reviennent à la chaleur affective, mais les reprises évolutives sont variables selon les dyades. Certains se
réchauffent dès les premiers mois d'interaction avec leurs
substituts qui parfois sont peu disponibles affectivement,
alors que d'autres enfants reviennent lentement à la vie.
Les transactions affectives sont plus faciles avec un couple
qu'avec un autre, ce qui ne veut pas dire plus intenses.
Ceci permet de déduire qu'il faut aimer les enfants carencés afin de disposer autour d'eux quelques tuteurs de résilience, mais qu'il n'y a pas de rapport entre la dose et les
effets. Ce n'est pas en les aimant de plus en plus qu'ils se
rétabliront de mieux en mieux. Mais si on ne les aime pas,
leur avenir est facile à prédire : leurs développements
s'arrêteront.

Il est difficile de priver totalement un enfant d'affection, à moins de le mettre dans un placard ou de l'isoler à
la maison avec un frigo et une télé. On peut se demander
pourquoi, dans les privations graves, seuls 75 % des

enfants sont altérés. Pourquoi pas 100 %? Parce que, autour de la mère défaillante ou maltraitante, il y a eu un mari, une grand-mère, une voisine, un grand-père ou une institution qui ont proposé quelques tuteurs de résilience. Quand un monopole des empreintes empêche l'enfant de s'échapper et de rencontrer d'autres tuteurs, quand un milieu est pétrifié par la domination d'un seul, quand cette maîtrise affective est autoritaire, la bulle sensorielle, les comportements, les mimiques et les mots seront toujours les mêmes et l'enfant en restera prisonnier. Une même structure enveloppante de maltraitance ou d'étouffement affectif n'aura pas les mêmes effets si l'enfant peut trouver une ouverture, et cela peut suffire.

Lisa avait très peur de son père qui, chaque soir, la battait et souvent même la poursuivait avec un sabre pour lui faire croire qu'il allait la tuer. Par bonheur, chaque soir, entre la sortie de l'école et l'arrivée de son père, Lisa pouvait filer chez une voisine pour lui faire quelques courses, un peu de rangement et s'occuper de son bébé. Le tourment de chaque soir devenait simplement une bouffée d'enfer puisque juste avant, Lisa avait connu un moment adultiste où elle avait pu se démontrer qu'elle était capable de relations fortes et généreuses. Quand le cauchemar s'annonçait, Lisa gardait en elle la croyance qu'un monde juste et affectueux pouvait exister, à condition d'aller le chercher, ce qu'elle a fait toute sa vie. Dès l'adolescence, dès qu'elle a pu partir, elle a découvert son talent à rencontrer des hommes, des amies, des groupes, des pays et des langues où l'on peut partager de l'affection et des projets. L'adultisme qui était une défense coûteuse au cours de son enfance est devenu un facteur de résilience quand elle a pu changer de milieu. Aujourd'hui directrice commerciale, elle parle cinq langues et vit dans dix pays, entourée de mille amis. Sa voisine ne saura jamais à quel point elle a protégé Lisa en lui permettant de se fabriquer la preuve qu'il y avait d'autres manières de vivre que celle de sa famille et d'acquérir la croyance qu'elle en était capable.

Quand un milieu familial est défaillant, une structure de quartier, une manière de vivre dans un village, la création de circuits professionnels d'art, de sport ou de psychologie suffisent à planter le germe d'un processus de résilience. L'acquisition d'un attachement serein peut se faire ailleurs que dans sa famille [76]. Mais il faut pour cela que la culture propose des lieux d'ouverture et cesse de penser en termes de relation univoque où une seule cause provoquerait un seul effet [77].

Le jeune qui s'apprête à négocier le virage de l'adolescence s'engage dans cette épreuve difficile et passionnante avec l'idée de lui-même qu'il s'est construite au cours de son histoire. À l'instant où Lisa fuyait son père armé d'un sabre, elle manifestait un sauve-qui-peut adaptatif et non pas un mécanisme de résilience. Ce n'est que plus tard, dans la représentation de cet événement qu'elle a pu se dire avec fierté : « Maintenant que je me suis sauvée, j'ai gagné ma liberté, il ne me reste qu'à construire la vie qui me conviendra. Quels sont les moyens dont je dispose dans mon intimité et dans mon entourage ? »

C'est avec un patchwork de petites victoires que le jeune s'engage dans le virage de l'adolescence. Poussé par l'irruption de l'appétence sexuelle qui l'oblige à quitter sa famille, il fait le bilan des succès qui légitiment sa croyance en ses capacités et en un monde juste. Ce qui revient à dire qu'un jeune emprisonné dans son passé par une mémoire abusive, enfermé dans une famille close ou autoritaire, privé de petites victoires par un groupe trop dévoué, ou vivant dans une société faiblement structurée, aura du mal à devenir résilient.

## La croyance en un monde juste donne un espoir de résilience

Ce sentiment de monde juste est assez surprenant quand on connaît les faits qu'ont subis ces enfants battus, violés, chassés et exploités. En fait, cette notion de « croyance en un monde juste » désigne deux attitudes opposées qui pourtant concourent à la résilience. La première consiste à dire : « J'ai été une victime innocente, mais on peut s'en sortir car le nouveau monde qui m'accueille est un monde juste. » Ceci correspond à peu près à l'idéologie des romans populaires du xixᵉ siècle où Oliver Twist, Rémi et Cosette, enfants massacrés par de méchants adultes, reprennent leur épanouissement bien mérité dès qu'ils retrouvent une famille bourgeoise ou un groupe social juste. Ces romans édifiants redonnent espoir aux blessés de l'âme et les invitent à s'adapter et à prendre leur place dans la société. L'autre croyance en un monde juste nécessite au contraire une révolte : « J'ai été battu, chassé de l'école, empêché de me socialiser, emprisonné ou déporté. Et pourtant un monde juste existe, il suffit de détruire cette société et de la remplacer par celle du penseur, du prêtre ou de l'ami auquel je crois. » Dans les deux cas, ces visions du monde invitent à agir pour prendre place dans une société juste, établie ou à établir.

Ces schémas correspondent aux anciens enfants de l'Assistance devenus P-DG ou riches industriels [78], et aux enfants des rues devenus innovateurs. Takano Masao, orphelin de guerre en Corée dans les années 1940, a survécu dans la rue grâce au troc et à la mendicité : « Je me souviens que je vivais sans éprouver de sentiment. La tristesse, la joie, la douleur m'étaient complètement inconnues [...]. Les flics nous traitaient de vauriens ou de rebuts de l'humanité et nous disaient de nous dépêcher de mourir parce que nous étions des parasites pour la société [79]. » Son destin bascule en une seule rencontre. Alors qu'il est en train de mourir de faim dans le parc de Tamahine, dépotoir des exclus de Tokyo, un chiffonnier lui donne un bol de nouilles mélangées à des tripes de chien. La vie revient en lui et, pour établir un lien avec cet homme, il décide d'apprendre à lire, comme lui. Le jour, l'enfant travaille dans la rue pour se payer des études dans les écoles de nuit (comme cela se passe encore aujourd'hui aux Philippines). En novembre 1966, une loi décrète la fermeture des cours du soir parce que le travail des enfants est devenu illégal. Takano Masao entreprend alors de militer pour la cause des enfants et obtient « le maintien de trente-quatre écoles de nuit [...]. Toutes sans exception sont remplies d'orphelins de nationalité japonaise, chinoise [...], de Coréens [...], de réfugiés du Sud-Est asiatique et de Brésiliens venus travailler au Japon ». Dans un contexte occidental, de telles conditions éducatives constituent une forme de maltraitance, mais dans un contexte d'effondrement culturel et social, la mendicité et l'école de nuit deviennent des tuteurs de résilience.

C'est le discours ambiant qui attribue au fait sa valeur de destruction ou de reconstruction. Dans une société stable où les récits font croire que chacun est à sa place dans la hiérarchie sociale, toute agression doit être justifiée : « C'est curieux, ces gens qui sont toujours victimes. Elle n'a que ce qu'elle mérite ! Ça n'est pas un hasard quand même ! » L'impossibilité mentale de remettre en cause la notion même de hiérarchie empêche les témoins de l'agression de chercher à aider les blessés. Et, pour ne pas se sentir coupables, ils ont même tendance à dévaloriser la victime [80] : « Les femmes violées l'ont certainement cherché », « les enfants abandonnés étaient certainement encéphalopathes ou autistes avant l'abandon », « les délinquants sont certainement issus de milieux pauvres ». L'ordre règne.

## Peut-on faire d'une victime une vedette culturelle ?

Depuis quelques décennies, les stéréotypes culturels ont basculé. Aujourd'hui, on s'identifie plutôt à l'agressé. On a presque tendance à en faire un initié puisqu'il a côtoyé la mort. Il a quelque chose à nous apprendre sur le monde invisible dont il est revenant. On lui donne la parole, on en fait même parfois une vedette culturelle quand son récit correspond à l'attente sociale. Alors, apparaissent des fausses victimes qui racontent d'horribles aventures tellement vraies et tellement belles. Binjamin Wilkomirski écrit *Fragments*, un petit livre où il raconte son enfance polonaise, « dans diverses baraques d'enfants de ces camps où les nazis enfermaient les Juifs [81] ». Quand il conte Auschwitz et sa rencontre avec Mengele, le médecin expérimentateur tortionnaire auquel il aurait été donné par son père adoptif, la narration correspond tellement à tous les clichés attendus qu'elle devient suffisamment belle pour être mythiquement vraie. L'idée d'horrible beauté correspond à l'esthétique des charniers qui plaît beaucoup dans une société gavée. Quelques images provoquent une sensation d'événement. Alors on en parle, on s'émeut, on s'indigne, on vole au secours, et on se donne le droit d'agresser l'agresseur. Enfin on se sent bien. Il s'est passé quelque chose de beau, un moment d'existence dans notre fade vie. Il a fallu voir, comprendre, lire, parler, se rencontrer et s'associer afin de prévenir de telles monstruosités. On se sent beau devant de telles laideurs, on est généreux face aux injustices, on a été courageux face aux monstres. Nous, les normaux, nous avons besoin de l'horreur que subissent les victimes afin de révéler notre grandeur intime.

Binjamin « Wilko » parle avec l'accent yiddish, souffre de la phobie des trains « de déportés », bouge sans cesse les pieds « pour chasser les rats qui lui couraient dessus au camp ». Les vrais survivants ont tout de suite repéré l'accumulation de clichés. Mais les clichés ne possèdent la force des clichés que parce qu'ils correspondent à la gourmandise des normaux qui se délectent du kitsch de la Shoah. Quand on a connu Auschwitz, on a souffert bien sûr, mais on n'a pas que souffert. On a aussi rencontré un moment d'amitié, un éclair de beauté qui nous a permis de supporter l'insupportable. La souffrance a changé de forme après la Libération quand le fait d'en parler provoquait l'incrédulité ou la réponse moralisatrice des libérateurs : « Quoi ! Vous avez mangé des ordures ? Vous êtes des cochons ! » disaient les généreux Américains qui ne savaient pas que *Schwein* (cochon) était justement l'insulte préférée des nazis. Quand « un récit est normé, convenu, [il devient] une litanie largement instrumentalisée. La mémoire s'est formatée. Elle a tendance à se faire vulgate [82] ».

C'est pourquoi les proches des survivants ont accepté avec plaisir l'horrible conte de fées de Wilkomirski, qui correspondait à l'idée qu'ils se faisaient de ce réel. Sans compter qu'un récit est toujours plus émouvant, plus beau et plus convaincant qu'un rapport administratif.

L'attitude culturelle qui permet le développement d'un plus grand nombre de résiliences individuelles doit éviter les extrêmes. Dévaloriser une victime pour respecter l'ordre établi ne donne pas de meilleurs résultats que la faire monter sur scène pour s'en délecter. Mais, « depuis les années 1980, une attention particulière est portée aux victimes par les pouvoirs publics [83] ». Après la reconnaissance de son statut, la victime peut exister socialement comme après un accident. Elle peut alors se « dévictimiser » en travaillant à sa résilience [84].

## Comment réchauffer un enfant gelé

Toute notre existence, nous nous engageons dans les événements avec le capital que notre histoire a imprégné en nous. Quand on accompagne pendant des décennies des enfants maltraités, on observe qu'ils s'engagent dans leur première rencontre amoureuse avec tout ce que leur passé leur a appris de douloureux mais aussi de défenses constructives.

Dans l'ensemble, les enfants maltraités acquièrent une grande vulnérabilité à toute perte affective parce qu'ils n'ont pas eu l'occasion d'apprendre à garder l'espoir d'être aimés, ni la possibilité de se faire consoler. Ils se mettent en sécurité en évitant d'aimer, puis sont bien tristes de ne pas pouvoir aimer [85]. Ils souffrent moins, c'est tout. Dans cette population d'attachements évitants, quelques sous-groupes s'individualisent. Un groupe de soixante-deux enfants maltraités a été suivi à la crèche, à l'école, puis dans leur institution d'accueil [86]. À peu près un tiers de ces enfants avaient été violentés physiquement. À la crèche, après une courte période de périphérisation où ils ont eu du mal à entrer dans le groupe, ils ont finalement pris leur place de manière très présente, parfois un peu agressive. Les enfants violentés verbalement ont eu plus de mal à s'intégrer. Ils sont restés longtemps inhibés et désorganisés, n'établissant pas d'interactions avec leurs compagnons ou répondant de manière déroutante, non décodable. Ce comportement acquis à la maison, puis exprimé à la crèche et à l'école diminuait leurs chances de rencontrer un petit compagnon qui aurait eu l'effet d'un tuteur de résilience.

Les enfants négligés ont constitué le troisième groupe. Pour des raisons parentales variables (mère très jeune, très pauvre et terriblement seule), ces enfants se sont retrouvés dans une situation analogue à celle des isolements sensoriels en éthologie : pas de contact, pas de mimiques, pas de mots, pas de jeux, un minimum de soins rapides, silencieux, automatiques. C'est cette population qui a été la plus altérée. Jusqu'à l'âge de 6 ans, ils présentaient beaucoup de comportements de retrait, une glaciation affective, pas de jeux, pas de créativité, de nombreux gestes d'insécurité (protection de la tête en levant les bras au moindre bruit), ralentissement marqué des gestes et des mots, passivité face aux petites agressions des compagnons. C'est « la négligence parentale qui semble [...] avoir les conséquences les plus désastreuses sur le développement socio-émotionnel de l'enfant et sur son développement cognitif [87] ». À noter pourtant une petite braise de résilience : c'est dans ce groupe que nous avons observé quelques scénarios adultistes, comme si ces enfants négligés avaient tenté de préserver un lien en prenant soin du parent maltraitant.

Il est donc possible que la forme de maltraitance organise autour de l'enfant un environnement sensoriel qui tutorise préférentiellement un type de trouble et un type de résilience. Tous les enfants sont altérés, mais l'altération et les stratégies de résilience semblent différentes. Les enfants maltraités physiquement acquièrent une intensité émotionnelle qu'à l'adolescence, ils auront du mal à maîtriser. Mais ils conservent un élan vers les autres qui plus tard les aidera à se socialiser. Les enfants maltraités verbalement fournissent la population des humiliés, de ceux dont l'estime de soi est écrasée. Mais c'est parmi eux qu'on trouve le plus de résiliences imaginaires, mythiques ou héroïques. Les enfants négligés sont les plus abîmés. C'est eux qui mettent en place le moins de défenses constructives. Sauf quand l'interaction reste encore possible avec un adulte négligent mais infantile, envers qui le petit résilient pourra tenter la stratégie de l'adultisme.

Pour analyser le problème, il faut constituer des cohortes cliniquement catégorisées (violence physique, verbale ou négligence). Mais dans l'aventure humaine spontanée, ces catégories sont rarement claires parce qu'un enfant battu peut en même temps être insulté puis jeté à la cave, ce qui n'est pas rare. Une situation spontanée peut mettre en lumière une braise de résilience importante : la plasticité des réponses de l'enfant.

Hans avait 2 ans quand son père a disparu, emporté par la guerre. Aussitôt l'affectivité de sa mère s'est éteinte et l'enfant a dû survivre dans un milieu négligent alors qu'il était chaleureux lors des premières années. Ayant acquis l'empreinte d'un tempérament serein, Hans continuait à s'orienter vers une mère inerte jusqu'au jour où elle a dû être hospitalisée et a disparu à son tour. Hans, orphelin à 4 ans, a été placé. Dans les années suivantes, il a connu beaucoup d'institutions variées à cause de l'effondrement social de l'Allemagne d'après-guerre. Parvenu à l'adolescence, Hans, en revoyant sa vie, s'étonnait des différences de tableau clinique qu'il avait manifestées selon les institutions. D'abord, il s'est anesthésié afin de moins souffrir et parce que aucun adulte n'avait le temps de lui adresser la parole. Mais dans ce désert affectif, quelques flammèches de résilience lui permettaient de garder espoir. À Essen, un « moniteur » qui surveillait quarante enfants les regroupait tous les soirs et leur racontait de belles histoires de guerre. Ces vantardises héroïques risquent de paraître obscènes pour un témoin en temps de paix. Elles furent capitales pour Hans qui pouvait enfin imaginer son père mourant noblement pour défendre son pays, alors qu'avant ces belles histoires tragiques, l'enfant essayait de ne pas l'imaginer afin d'éviter l'image si souvent vue de cadavres béants, puants et macérant dans la boue. Le hasard des décisions administratives l'avait ensuite amené près d'Erfurt où un millier d'enfants avaient été recueillis dans un château. Quelques adultes débordés se consacraient à la comptabilité et à la recherche de nourriture. Alors, loin des responsables, une bande de petits casseurs âgés de 10 à 14 ans faisaient régner leur loi. Hans les côtoya sans les admirer. Il devint comme eux un peu bagarreur, un peu voleur et assez fier d'avoir su creuser un tunnel pour passer sous le grillage de la propriété. Il savait se faufiler la nuit dans l'économat par une fenêtre cassée. La vente des larcins dans la rue le lendemain était source d'événements rigolos, de bonnes affaires, de fuites effrénées. Ses camarades de délinquance furent un jour arrêtés et changés d'institution. Hans parvint à ne pas se faire prendre. Sa petite délinquance cessa le jour même. Mais quand il y repensait, il se disait que s'il avait été attrapé, il aurait probablement été étiqueté « délinquant » et que ce mot venu de l'extérieur aurait alors fait partie de son identité.

## Apprendre à aimer malgré la maltraitance

Il s'étonnait beaucoup de son attirance pour les filles. Dès l'âge de 4 ans, avant toute appétence sexuelle, le simple fait de côtoyer une fillette lui procurait un surprenant apaisement de bonheur. Leur joliesse, la grâce de leurs gestes et leur goût pour la parole convenaient à Hans qui s'arrangeait pour les côtoyer. Mais il s'ennuyait aux jeux des filles et préférait les courses des garçons, les bagarres, les compétitions incessantes, les règles sans cesse à négocier. Dès que la partie était terminée, il s'approchait d'une fille et changeait de monde affectif. Un dimanche où les enfants avaient reçu un morceau de biscuit comme dessert, Hans avait volé celui d'un grand. Le garçon s'en était aperçu et avait poursuivi le petit longtemps à travers la cour et lui avait mis son poing dans la figure. Hans était encore sonné lorsqu'une fillette s'était détachée du groupe pour venir le consoler en lui disant des mots gentils. Ce jour-là, Hans découvrit le plaisir de l'affectivité et le prix qu'il était prêt à payer pour en obtenir une part. Il découvrit aussi l'importance de son émotivité. Très dépendant de la moindre réflexion des « moniteurs » qui pouvaient l'enchanter ou le blesser d'un seul mot, il devina le poids de l'affection.

C'est avec ce façonnement passé, avec cet apprentissage affectif que Hans a abordé le virage de l'adolescence. L'irruption passionnante et stupéfiante de l'appétence sexuelle faisait appel à tout ce qu'il avait acquis depuis sa petite enfance et qu'il aurait à exprimer dans son engagement sexuel.

Côtoyer une fille avant l'émergence du désir sexuel ne provoque pas du tout la même sensation que lorsqu'on a pu se dire : « Leur simple vue provoque en moi une sensation délicieuse qui me possède. Je ne ressens plus les femmes de la même manière. Cette nouvelle perception me donne un grand plaisir parce que j'ai appris à donner forme à mes émotions et parce que les adultes m'y ont aidé en me proposant des modèles culturels.» La même émotion naissante peut provoquer des angoisses chez ceux dont le passé a imprégné une effervescence incontrôlée. Ceux-là retrouvent les mécanismes habituels de défense contre l'angoisse : « Je m'inhibe, je me fige pour empêcher toute explosion. Je peux aussi croire que ce que j'éprouve dans mon corps est une maladie, ce sera moins angoissant que de penser qu'il s'agit d'une pulsion sexuelle qui peut m'entraîner je ne sais où. Je peux aussi devenir agressif parce que l'agression constitue souvent un masque de la crainte.»

Ces mille formes que prennent les amours naissantes provoquent toujours des métamorphoses. Certains adolescents s'apaisent, s'épanouissent et démarrent un projet de vie, alors que d'autres deviennent anxieux et que certains s'effondrent, déchirés par une passion insupportable.

Pour comprendre ces devenirs tellement différents deux cohortes d'enfants ont été constituées à l'âge de 12 à 18 mois. L'évolution d'une cohorte ayant acquis un attachement sécure a été comparée à celle d'une cohorte à l'attachement insécure. Ces enfants ont été revus vingt ans plus tard, au cours d'un entretien semi-directif qui les invitait à raconter leur premier amour [88]. Les témoignages enregistrés étaient ensuite soumis à une linguiste qui en faisait l'analyse sémantique.

Par définition, le premier amour se termine mal. (Puisque c'est le premier, c'est qu'il y en a eu un deuxième.) La très forte majorité des attachements sereins a connoté cet événement avec les mots « heureux », « amical », « confiant », « hauts et bas », « pas trop douloureux », « tendresse ». Sans raison apparente, 18 % des jeunes se sont effondrés à ce moment-là.

Dans la cohorte des attachements insécures, le premier amour a été connoté par les mots « douleur », « jalousie », « tristesse », « désagréable ». Mais 28 % se sont améliorés de manière surprenante. La plupart des attachements sereins se sont engagés dans le premier amour avec un style affectif qui les rendait attentifs à l'autre, mais sans se perdre en lui, sans se laisser dépersonnaliser, sans éprouver « l'amour comme un traumatisme [89] ». La légèreté de ce lien leur a permis de ne pas se laisser engloutir par le moment amoureux ou désemplir par la séparation. Dans l'euphorie comme dans la tristesse, ils sont restés eux-mêmes.

La majorité des attachements insécures ont souffert de la première rencontre. L'extase amoureuse a déclenché un dilemme anxieux que leurs mots ont eu du mal à préciser : « C'est merveilleux, je l'aime... c'est terrifiant, je vais la perdre... pour la garder je vais me perdre en elle... elle a détruit ma personnalité : je la déteste. » (On peut bien sûr écrire les mêmes mots venant d'une femme.)

Les adolescents dont l'attachement est sécure ont même profité de l'épreuve du premier amour pour améliorer leur relation future avec le deuxième : « Je saurai mieux aimer maintenant. Il faut donner bien sûr, sans se laisser déposséder. » Alors que les attachements insécures, blessés par leur premier amour ont souvent acquis la peur d'aimer. Pour un grand nombre d'entre eux, la plénitude du sentiment amoureux s'est transformée en fascination pour la mort : « Quarante-cinq pour cent des adolescents morts par suicide [...] avaient perdu un parent lors des premières années, par décès ou à la suite d'un divorce [90]. » L'acquisition très précoce d'une vulnérabilité affective a souvent été masquée au cours de la grande enfance par un sérieux excessif, une incapacité à prendre les choses à la légère. La plupart du temps, les comportements qui auraient pu révéler la vulnérabilité affective du petit ont été mal interprétés par les éducateurs. Quand un enfant devient bon élève parce qu'il ressent une angoisse dès qu'il lève le nez de son livre de classe, il sera considéré comme un enfant studieux. Quand un petit reste collé contre ses parents, les bécotant sans cesse et les couvrant de cadeaux, il sera qualifié de « très affectueux », alors qu'en fait, il s'agit d'un hyperattachement anxieux où il essaye d'aimer ses parents, vite, avant leur mort imminente. L'intensité amoureuse qui réveille les composantes de la personnalité, dévoile aussi ces points faibles et provoque l'effondrement.

## Se recoudre après la déchirure

Le problème consiste maintenant à se demander comment la perte précoce d'un parent (par mort ou par divorce) peut provoquer une vulnérabilité qui, vingt ans plus tard, entraînera l'écroulement d'un certain nombre d'adolescents amoureux alors que d'autres, exactement dans les mêmes circonstances, vivront la rencontre amoureuse comme un étayage de leur personnalité, un puissant tuteur de résilience.

En fait, la mort et le divorce sont des repères événementiels tellement évidents qu'on leur a trop vite attribué la vulnérabilité acquise de l'enfant. Les travaux ultérieurs ont clairement démontré que la culpabilité entraînée par ces événements a inscrit dans la personnalité de l'enfant la fêlure qui cassera plus tard. Un enfant bien étayé par l'attachement parental se sent moins coupable quand un parent disparaît. S'il trouve des substituts qui lui conviennent, il poursuivra un développement harmonieux. Jusqu'au jour où il entendra réciter autour de lui les stéréotypes culturels selon lesquels un orphelin ou un enfant de divorcés doit souffrir cruellement. Alors le jeune aura honte de son bien-être et, lors du premier amour, il cherchera à se prouver qu'il n'est pas un monstre en se montrant trop gentil, trop centré sur l'autre. L'effet dépersonnalisant ou au contraire étayant du premier amour dépend dès lors du partenaire, de sa propre personnalité et de son histoire. Il peut profiter de l'oblativité excessive de l'adolescent mal endeuillé, l'entraîner vers la chute, le consacrer à ses besoins et le mépriser ensuite pour cette domination facile. Le premier amour prend un goût d'amertume : « Après tout ce que j'ai fait pour lui (elle), je me suis fait pigeonner », disent souvent ces jeunes garçons ou filles, malheureux d'avoir tant donné, amers d'avoir subi une escroquerie affective pour laquelle ils étaient pourtant des candidats inconscients.

Il arrive que le partenaire soit émerveillé de rencontrer une amoureuse si dévouée. Il ignore qu'elle aussi est surprise qu'on veuille bien l'aimer. Il ne sait pas que son instabilité est « guérie » par la sécurité affective qu'il vient de lui donner. Alors la période sensible de l'adolescent blessé provoque un virage réussi, et son existence devient résiliente. Dans ce cas, l'association des deux vulnérabilités a renforcé le couple.

Ce qui culpabilise un enfant endeuillé, c'est la relation conflictuelle que ses parents avaient établie avant leur mort et dans laquelle il avait eu du mal à se développer. Plus tard, les discours que les familles de substitution et la culture ont tenus sur cette mort héroïque ou honteuse, méritée ou injuste, ont calmé ou aggravé le sentiment. Tout jeune blessé se trouve au centre d'une constellation de déterminants avec lesquels il doit sans cesse passer des transactions.

On peut comprendre les effets du divorce avec un raisonnement analogue. Ce n'est pas la séparation des parents qui provoque la blessure, c'est la charge affective qui lui est attribuée. Quand le père est envoyé à l'étranger pour une mission socialement valorisée, quand la mère doit s'absenter pour réaliser une prouesse intellectuelle ou artistique, les grands enfants éprouvent cette séparation comme une glorieuse épreuve. Mais quand les parents sont accablés parce qu'ils s'imposent de rester à la maison en compagnie de leur ennemi intime, ils ne constituent pas de meilleurs tuteurs de développement que des parents séparés mais apaisés qui proposent, malgré tout, un environnement modifié pour le développement de leurs enfants.

Une séparation en soi n'est pas grand-chose, sauf pour un bébé qui vit dans l'immédiat et a besoin d'une présence constante. Pour un grand enfant, c'est le contexte social et l'enchaînement des faits qui attribuent à l'événement sa signification. Une séparation peut être vécue comme une petite aventure, comme à l'inverse l'enfant peut en souffrir quand il a baigné dans la haine ou quand les événements ultérieurs lui donnent une signification de perte ou de culpabilité. La constitution d'un autre couple par la mère, tout de suite après le divorce, blesse plus les enfants que lorsque c'est le fait du père, parce que le divorce des parents s'annonce presque toujours entre l'âge de 6 à 10 ans, avant « l'acquisition de leur pleine autonomie affective [91] », et que l'attachement à la mère n'est pas de même type que celui au père.

Ce qui blesse un enfant et le prépare à attribuer au premier amour une connotation douloureuse, c'est le rejet insidieux et non pas l'événement spectaculaire. L'impossibilité de tisser un lien affectif sécurisant et l'attente imminente de la séparation apprennent à ces enfants à vivre dans l'angoisse de la perte. C'est dans cette population qu'on trouve le plus grand nombre de traumatismes invisibles.

Ces coups-là sont presque toujours portés sans témoins : « Je regrette que tu ne sois pas mort le jour de ta naissance... le médecin aurait mieux fait de rater ta réanimation... j'aurais préféré que ce soit toi qui meure et non pas ton petit frère », ne sont pas des phrases rares. Prononcées dans l'intimité, l'effet correctif de l'entourage n'a pas été possible : « Tu exagères... Maman est énervée... » Alors l'enfant vit avec cette phrase dans sa mémoire et la colle au moindre événement quotidien. Tout retard de sa mère à la sortie de l'école veut dire : « Elle va m'abandonner. » Toute remarque comme : « Tu as encore une angine » veut dire : « Elle souhaite que j'en meure. » Le moindre événement entretient la déchirure, empêche l'acquisition des ressources internes de la résilience et, comme l'agression a été intime, il n'y a pas eu non plus de ressources externes. Tout est prêt pour le traumatisme, et les témoins diront : « On ne comprend pas pourquoi la charmante épreuve du premier flirt a provoqué de tels dégâts. Elle est vraiment très fragile. » Un enfant sur cinq qui fait une tentative de suicide a été le témoin direct de l'homicide ou du suicide de l'un de ses parents [92]. Il est arrivé à l'adolescence avec l'idée qu'un chagrin d'amour peut justifier la mort parce que, au cours des années précédentes, ils n'a pas pu apprendre l'espoir, ressource interne de résilience. Pour lui, c'est l'amour ou la mort.

## C'est à la culture de souffler sur les braises de résilience

Je n'ai jamais entendu de récit d'enfance plus difficile que celle de Juliette. Sa mère avait souhaité mourir en la mettant au monde et son désespoir d'avoir un enfant avait été si grand qu'elle avait négligé le bébé pendant plusieurs mois. Inerte, immobile, les yeux au plafond, Juliette n'était pas morte et pourtant ne vivait pas, au point que le médecin a dû la faire hospitaliser pour la réanimer. Après quelques passages dans diverses institutions, comme sa mère allait mieux et qu'à cette époque l'idéologie du lien empêchait de penser la séparation, l'enfant fut rendue à son foyer. Pendant quelques années, Juliette s'est développée dans un milieu affectif composé d'une mère isolée, abattue, silencieuse, mécanique, sujette à des irruptions soudaines de violence contre elle-même, se tapant la tête contre les murs, hurlant de désespoir ou se tranchant les poignets devant l'enfant. La petite Juliette, fascinée par cet

objet affectif morne et explosif, ne parvenait pas à s'intéresser à autre chose qu'à sa mère, envers qui elle manifestait un hyperattachement anxieux. Elle a donc ressenti
son placement en nourrice comme une immense
déchirure, et ne cessait de hurler le jour et la nuit, en
repoussant tout ce qui venait de cette femme. En quelques
jours, la nourrice s'est mise à haïr l'enfant et a révélé un
sadisme jusqu'alors enfoui. Elle attachait Juliette sur une
chaise, la battait en préparant longuement ses coups de
façon que l'enfant soit terrorisée puis, pour se détendre,
partait se promener après avoir transporté la petite fille
ligotée sur une chaise dans la cave sans lumière. De temps
en temps, Juliette allait à l'école où l'on se moquait d'elle.
On l'agressait parce qu'elle était sale, puante, tête rasée,
mal habillée, avec des chaussures pratiquement sans
semelles. Hébétée dans un coin, elle se sentait idiote tant
elle avait du mal à comprendre ce qui paraissait facile aux
autres. À l'âge de 14 ans, elle fut attrapée par quatre clo-
chards et longuement violée et battue dans un taudis, puis
en rentrant chez la nourrice, encore une fois battue parce
qu'elle était en retard.

C'est avec une telle histoire qu'elle est arrivée à l'adolescence. Elle fuguait, dormait dans des squats et insultait
tous ceux qui voulaient l'aider. On aurait dû pourtant
repérer quelques braises de résilience : un rêve fou, totalement illogique, presque délirant tellement il était inacces-
sible. Pour se sentir mieux, Juliette s'isolait dans un coin
et rêvait comme une folle qu'elle faisait la cuisine en
attendant un gentil mari qui allait rentrer du travail. Elle
imaginait aussi un autre rêve diurne qu'elle jugeait moins
romantique : elle devenait très grande et très forte, retour-

nait chez la nourrice et la scalpait. Dans un foyer près de Nice, on lui apprit à se laver, à s'habiller correctement et à exprimer ses opinions autrement que par la bagarre. Comme elle était jolie et faisait le pitre sans arrêt, elle attira quelques garçons. Elle tomba donc amoureuse, rêva qu'elle se mariait en robe blanche, fit des progrès en cuisine et manifesta son amour par la possession de chaque geste et de chaque instant de son compagnon. Il se laissa gentiment dépersonnaliser, lui fit deux enfants, un garçon et une fille, jusqu'au jour où elle le chassa parce qu'il avait trop parlé avec une autre femme. Juliette s'étonnait de détester sa fille « qui lui rappelait sa nourrice ». Elle la repoussait toujours mais aurait eu honte de la battre. Quant au garçon, dès l'âge de 6 ans il prit en charge sa mère. Il l'embrassait quand elle était triste et lui apportait des gâteaux quand elle se réfugiait dans son lit. Elle se sentit beaucoup mieux quand il devint bon élève. « Sa réussite me redonne de la valeur », disait-elle. La fille la quitta très jeune parce qu'elle se sentait rejetée, et le garçon la quitta très jeune pour poursuivre son développement autrement qu'en se consacrant au soulagement de sa mère.

Aujourd'hui, elle vit seule dans une pièce aux volets toujours fermés, et gagne sa vie en faisant les ménages de personnes âgées, les seules avec qui elle se sente en paix.

Personne n'a soufflé sur une braise de résilience. Quand elle était bébé, l'idéologie du lien l'a rendue à une mère encore trop amoindrie pour s'en occuper. Au lieu de la soumettre à une nourrice sadique, on aurait pu la placer dans des groupes d'enfants entourés d'éducateurs aux talents variés (art, sport, parole). Ils auraient pu lui apprendre à utiliser son humour pour en faire une force relationnelle. Sa beauté aussi était un facteur de résilience, injuste mais utilisable. Se toiletter, se maquiller, bien s'habiller permet de mettre sur son corps ce qui vient du fond de soi et de se préparer au dialogue verbal et affectif. Comme elle s'étonnait de sa manière d'aimer tellement possessive, un roman, un film, une pièce de théâtre auraient pu suffire à soulever le problème de sa relation d'emprise, de sa haine pour sa fille ou de l'adultisme de son fils. Peut-être alors aurait-elle évolué ? La culture de l'époque ne lui a proposé aucun tuteur de résilience. C'est au prix d'une grave amputation de son existence qu'elle est parvenue à moins souffrir.

L'histoire de Juliette illustre à quel point le premier nœud de la résilience aurait pu être tissé à chaque étage de la construction de sa personnalité, mais il aurait été de nature différente à chaque fois ; sensorielle pour un bébé afin de provoquer une familiarité ; imagée plus tard pour dessiner une figure d'attachement stable ; relationnelle à l'école pour déclencher le plaisir des nouveautés à explorer ; sexuelle et sociale au moment de l'adolescence quand le jeune fait le bilan du capital qui s'est accumulé en lui au cours de son passé et qu'il cherche à placer au mieux de ses intérêts pour son avenir.

Dans notre culture, il semble que le nombre des enfants négligés soit en plein accroissement. C'est une maltraitance difficile à observer puisque ces enfants ne sont ni battus, ni violés, ni abandonnés. Et pourtant, l'absence de structure affective et sociale autour de l'enfant provoque des développements altérés. Le contrôle émotionnel est mal appris, les figures d'attachement sécurisantes ne sont pas reconnues, toute nouveauté provoque une peur et non pas un plaisir, alors vous pensez bien qu'à l'adolescence, l'intensité de l'appétit sexuel et l'énorme enjeu de l'aventure sociale provoquent plus de paniques que de douces rêveries.

## Prendre des risques pour ne pas penser

La défense adaptative habituelle chez ces enfants négligés consiste à rechercher l'apaisement par l'engourdissement affectif et par la création d'un monde autocentré. C'est avec un tel capital qu'ils prennent le virage de l'adolescence. N'ayant pas connu d'étayage, ils n'ont jamais eu l'occasion d'apprendre à compter sur les autres, ils n'ont donc pas pu découvrir comment on se fait aider. Les bébés négligés s'anéantissent dans le marasme, les orphelins isolés sont tellement angoissés par tout contact affectueux qu'ils se laissent couler dans le bain qu'on leur donne ou s'amollissent sur le sol quand on veut s'occuper d'eux. Les grands enfants élevés en carence affective écrasent les cadeaux à coups de pied ou les oublient dès qu'on les leur a donnés.

Quand arrive la flambée de l'adolescence, toute rencontre provoque une crise. Leur parler gentiment les angoisse, et ne pas leur parler gentiment les désespère. Les adolescents qui ont été suffisamment étayés par l'affectivité et les structures sociales se lancent dans cette aventure avec une excitation joyeuse. En cas de petit chagrin, ils s'arrangent pour en tirer quand même le bénéfice d'une expérience. Ce n'est pas le cas des enfants carencés pour qui tout choix est une crise : « La sexualité que je désire m'angoisse terriblement. Comment voulez-vous qu'une femme veuille de moi ? Et si elle tombe enceinte ou si simplement elle veut bien me côtoyer, je suis prêt à m'asservir à cette femme que je n'aime pas, car si je reste seul je serai désespéré. La sexualité solitaire me désespère et la rencontre tant désirée m'angoisse. »

La naissance du désir sexuel a déchaîné une panique. Beaucoup d'adolescents en souffrent et trouvent des solutions vaguement adaptatives telles que la fuite, la démission, l'inhibition, l'agression par crainte ou la recherche d'un coupable à sacrifier. Mais pratiquement tous ceux qui ont découvert le processus de résilience ont appliqué la méthode de l'apprivoisement du risque qui leur a permis de se donner un sentiment de victoire.

C'est souvent au cours de cette période sensible que les histoires de vie se thématisent : « Je ne peux supporter que les événements intenses », disent souvent ces adolescents. Je me rends volontairement prisonnier du contexte car l'intensité physique et émotionnelle m'empêche de ruminer mon passé et de craindre mon avenir. Je me mets en situation d'épreuve pour que « le risque du réel me permette d'échapper au risque de penser [93] ». L'adolescent se sent mieux. Cette défense l'aveugle comme il le souhaite et s'il en sort vainqueur comme il l'espère, il aura construit un peu de son identité, puisque, après l'événement, il aura enfin quelque chose à dire.

Pour un adolescent, il s'agit moins d'une prise de risque que d'une aventure identifiante qui lui permet de découvrir ce qu'il vaut. Et c'est bien une sorte d'initiation qu'il met en scène et non pas un désir de mort : « Je me suiciderais bien, me disait cette douce jeune fille, mais après, j'ai peur de le regretter.» La recherche de l'urgence constitue un facteur de protection proche du déni : « Vous voyez bien que je n'ai pas le temps... on verra plus tard », disent ceux qui se sentent mieux quand la contrainte du réel leur permet d'échapper aux représentations de soi. Mais cette violence, ils se l'imposent eux-mêmes : « Je travaille vingt heures par jour pour préparer ce concours. Je suis épuisé et pourtant je me sens mieux parce que cette intensité me donne l'espoir de réussir et me permet de ne pas penser à mes relations familiales qui ne sont qu'un long malheur.»

Les attachements sécures passent plus facilement le cap de l'adolescence. La grande majorité d'entre eux accepte comme un jeu l'épreuve de la sexualité ou de l'engagement social qu'ils franchissent avec l'étrange plaisir que donne la peur de conduire trop vite, ou de se lancer en criant dans un manège qui tourne en l'air. C'est pour cette raison que 75 % des attachements sécures conservent ce type de relation quand les circonstances deviennent adverses. Au contraire même, ayant besoin de l'effet sécurisant de l'attachement, ces jeunes, dans une situation difficile, téléphonent à leurs figures d'attachement, font des efforts pour s'entourer d'amis ou se laissent aller à la régression qui les apaise. Mais « un attachement sécure n'est pas une garantie pour la vie. Il facilite simplement l'étape ultérieure du développement et permet de garder une stabilité interne avec des défenses positives au cours des remous de l'adolescence [94] ». Et pourtant, 25 % d'entre eux chuteront à ce virage. Il semble que ce soient ceux qui, bien développés et bien sécurisés, ont été privés d'épreuves donc de victoires au cours de leur histoire.

## Balises culturelles pour la prise de risque : l'initiation

Tout affrontement constitue l'équivalent d'une initiation pour les adolescents bien développés. Quant à ceux qui ont connu des catastrophes éducatives, ils n'ont pas le choix, le trauma est là, bien réel, il faut faire face. Mais il doit prendre une valeur d'initiation pour ceux qui refusent de rester blessés toute leur vie. C'est possible puisque, sans que ce soit intentionnel, près d'un adolescent traumatisé sur trois changera de style d'attachement et deviendra serein à l'adolescence[95]. On pourra améliorer ce chiffre quand on comprendra ce qui a permis à ces enfants blessés de devenir des adolescents épanouis. Deux mots peuvent préciser cette évolution favorable : « thématisation » et « ouverture ».

Le premier mot, c'est « thématiser ». Ces adolescents surprenants ont cessé de subir leur traumatisme le jour où ils lui ont donné un sens : « Je veux comprendre comment un enfant maltraité peut échapper à la répétition de la maltraitance. » La théorisation est souvent un acte défensif, mais quand la recherche transforme la signification du traumatisme, elle donne sens à la vie du chercheur, ancien enfant blessé[96]. « Je veux militer pour empêcher le retour de la guerre civile au Rwanda[97]. » « Je ne supporte pas de voir un pays envoyer son armée pour en occuper un autre depuis que j'ai subi ça en Pologne[98]. » Le traumatisme, en thématisant la vie du blessé en change le sens, il devient un combat et non plus un amoindrissement. Le deuxième mot, c'est « ouverture ». Même pour un adolescent bien développé, le dégagement est nécessaire. Il doit trouver un objet sexuel hors de sa famille d'origine et tisser avec lui un nouveau lien pour empêcher l'étouffement d'un climat incestueux. Mais pour que ce dégagement soit possible, il faut que convergent un ensemble de forces hétérogènes. L'adolescent doit érotiser l'exploration, sinon il restera prisonnier de sa famille. Il faut aussi que la culture lui propose des lieux et des occasions de dégagement. Presque tous les enfants maltraités qui sont devenus sereins à l'adolescence ont rencontré, plus tôt que les autres, une occasion d'autonomie précoce [99]. Si l'adolescent a peur du monde et si la culture ne l'invite pas à l'aventure, il restera englué dans sa famille sans pouvoir s'en dégager. Dans une population d'enfants maltraités qui ont réussi à s'apaiser, on trouve souvent cet appel à la beauté que la culture a disposée autour du petit blessé : « Notre-Dame est ma chapelle... La Seine me tient. Mon histoire coule entre ses berges. Près de ses rives, je ne crains rien [100]. » À ce facteur de résilience externe que la société doit organiser se conjugue un facteur de résilience interne, l'élan vers les autres qui permet les rencontres : « Ceux qui s'aiment détiennent la richesse... J'ai grandi dans l'enfer avec la certitude d'un privilège [101]. »

Le problème est ainsi parfaitement posé. Le traumatisme est une déchirure qui, chez les résilients, finit par prendre l'effet d'une initiation. Soixante-quinze pour cent des attachements sécures amorcent sans trop souffrir le virage de l'adolescence et conservent ce style d'attachement qui les protège. Ils ressentent le premier amour, le premier départ, le premier métier comme une difficulté édifiante, une charmante épreuve. Mais 33 % des attachements insécures bénéficient de ces épreuves pour gagner leur autonomie et apprennent à aimer d'une manière agréable [102]. Dans ces groupes épanouis, aucun adolescent n'a échappé aux peines et certains même, après avoir subi les traumatismes de l'enfance, ont réussi à triompher des difficultés de l'adolescence.

Comme on pouvait s'y attendre, 70 % des attachements insécures ont mal négocié le virage adolescent. Le refus d'engagement, la honte des origines, la peur de la société, les échecs affectifs les ont orientés vers une existence difficile. Mais, comme on ne s'y attendait pas, 25 % des attachements sereins sont devenus glacés, évitants, ambivalents ou désorientés à l'adolescence. Il s'agissait probablement de faux attachements sécures, d'enfants qui paraissaient aimants parce qu'ils étaient anxieux. Leur grande tranquillité exprimait un manque de plaisir à vivre et leurs bons résultats scolaires témoignaient, non pas de l'amour de l'école, mais de la crainte des professeurs.

L'autre surprise fut de constater que lorsqu'on satisfait tous les besoins de l'enfant, qu'on lui évite la moindre épreuve, qu'on le gave d'amour et qu'on l'entrave dans le filet de nos protections, on l'empêche en même temps d'acquérir quelques ressources de résilience [103].

Le virage de l'adolescence est un moment critique où de nombreux enjeux se cristallisent et donnent une nouvelle direction à notre existence. Dans la mesure où le traumatisme est une effraction psychique qui contraint à la métamorphose ceux qui continuent à vivre malgré la meurtrissure, toute adolescence est un virage dangereux.

D'ailleurs, ces jeunes éprouvent souvent le besoin de mettre en scène une proximité, un flirt avec la mort. Leur érotisation de la violence témoigne, non pas d'un « besoin de traumatisme [104] », mais d'un appétit de vie. Un tel événement est une forme d'initiation puisqu'il y a forcément une première fois. Ils sont donc poussés à utiliser ce que leur culture met à leur disposition pour en faire un rite d'initiation. Mais quand la culture ne l'organise plus, ils inventent un rite barbare : la voiture à risque, le sexe sans protection, la drogue, la délinquance, les loisirs dangereux et les voyages difficiles prennent un effet stimulant, identifiant et intégrateur : « Il se passe enfin quelque chose dans ma vie... il y aura eu dans mon histoire des événements exceptionnels... je reviens de loin... je peux désormais prendre une place sexuelle responsable parmi les adultes. »

On trouve là une sorte de résilience naturelle : « J'ai besoin de découvrir ce que je vaux en affrontant le monde, de façon à donner forme à qui je suis en faisant un récit de moi, de comprendre à quoi j'aspire en rêvant mon avenir. J'intellectualise, je dramatise, je mondialise mon épreuve, je m'engage, j'aime, je choque, je fais rire. » La frontière est étroite entre la résilience naturelle et celle des traumatisés qui ont été initiés malgré eux. Ils ont côtoyé la mort, l'ont feintée, certains sont restés en enfer et d'autres en sont revenus... résilients.

L'adolescence est une contrainte au changement. La puberté modifie le corps, le désir chamboule les émotions, les rencontres affectives remanient les attachements parentaux, et les aspirations sociales provoquent de nouvelles relations. Même les jeunes épanouis n'échappent pas à ces changements. Leur famille et leur culture ont mis à leur disposition des circuits directionnels, des sortes de rails, des propositions de scénarios d'avenir parmi lesquels les jeunes choisissent celui qui semble leur convenir. La structure d'un milieu compose des barrières de sécurité qui permettent au jeune de prendre son virage, de se sentir initié, comme un résilient, mais sans le traumatisme, en l'ayant simplement frôlé.

Quand son développement l'a rendu vulnérable, quand sa famille est en ruine à cause d'une maladie, d'un conflit grave ou d'une immigration déchirante, quand la société n'organise plus les barrières de sécurité ni les rites qui permettent de négocier le virage, l'adolescent peut mettre longtemps à prendre sa nouvelle place d'adulte. « Le besoin de traumatisme existe de façon aiguë chez les enfants de migrants... conséquence de la logique migratoire des parents [105]. » Familles bousculées, rites oubliés, adolescence prolongée, le jeune est obligé de maintenir son fonctionnement d'enfant même quand il est avide de devenir adulte. En restant passif, dépendant de ses premiers attachements, il exige, comme un enfant, la satisfaction immédiate de tous ses désirs, y compris sexuels.

À cause de la défaillance des structures familiales et culturelles, le jeune n'a pas pu utiliser l'irruption de l'appétence sexuelle pour quitter sa famille afin de poursuivre un autre type de développement. Ces jeunes, privés d'épreuves, de rites séparateurs ou réparateurs, ont honte d'être encore en situation d'enfants alors qu'ils sont déjà grands, intelligents et couverts de diplômes. Toutes les cultures ont inventé des rites d'initiation qui aident au changement et invitent à l'autonomie, « car dans ces moments, ni les parents ni le groupe culturel ne peuvent aider [le jeune] à anticiper et colmater l'angoisse [106] ».

Normalement, le « presque traumatisme » des rites d'initiation provoqué par la culture est résorbé par les « défenses culturelles » qui atténuent le choc et même en font une promotion humaine [107]. Après l'initiation, l'enfant est devenu plus humain puisqu'il revient dans le monde des adultes avec un savoir secret qui en fait un autre homme.

Toutes les cultures ont inventé des rites d'initiation sous forme de cérémonies de passage : communions religieuses ou accueil des nouveaux dans une entreprise. Les barrières de sécurité culturelles empêchent habituellement d'organiser ces cérémonies d'accueil en rituels de bizutage sadique, mais quand un jeune a été traumatisé ou quand il est mal dans sa famille, il cherche à la fuir pour tenter l'aventure de l'adolescence précoce. Il se sauve bien sûr mais n'a pas terminé son développement. Il se retrouve alors jeté dans une société qui l'accueille mal. C'est dans cette cohorte d'adolescents prématurés qui n'ont pas pu mettre en place un processus de résilience qu'on trouve le plus grand nombre de conduites sexuelles à risque. Dans ces conditions, le risque devient une initiation dangereuse qui peut mener à la destruction.

### Sécurité affective et responsabilisation sociale sont les facteurs primordiaux de la résilience

Le simple fait de poursuivre des études retarde la première rencontre sexuelle, espace les actes, diminue le nombre de partenaires et d'infidélités. « [...] Ceux et celles qui quittent l'école tôt, échappent plus tôt au contrôle de leur famille d'origine et sont [...] conduits à commencer leur vie sexuelle sans tarder... [108]. »

Cet engagement social précipité est très différent de celui des jeunes adultistes qui ont été obligés de quitter leurs parents très tôt parce qu'ils étaient battus, insultés ou agressés sexuellement. Ces jeunes, comme ceux qui ont accédé aux responsabilités sociales, se sont rarement enrôlés dans une sexualité à risque. Leur engagement social et affectif est très différent du stéréotype actuel qui dit qu'une fille violée deviendra prostituée et qu'un garçon maltraité deviendra sadique. Au contraire même, ils ont souvent constitué un couple très jeune, stable, avec une parentalité précoce qui, en les responsabilisant, a témoigné de l'importance qu'ils attachaient à la famille qu'ils rêvaient de faire. Cet engagement précoce a entravé leurs études mais n'a pas suscité une sexualité à risque.

Dès que Jean a eu 15 ans, il a quitté le domicile familial pour échapper à son père violent et incestueux. À l'âge de 18 ans, il a acheté un petit hôtel près d'une station de sports d'hiver puis est venu chercher sa sœur âgée de 16 ans. Les deux gamins ont retapé l'hôtel, ont beaucoup travaillé pour cuisiner et servir, ont trouvé à se marier très tôt, ont eu des enfants et mènent aujourd'hui une existence d'image d'Épinal. Ils restent endoloris par leur terrible enfance, mais leur réussite sociale et affective leur a permis d'éviter le choix tragique qui leur était proposé : demeurer dans leur famille d'origine, soumis à toutes les maltraitances, ou se jeter dans une sociabilité impulsive dépourvue de projet.

La plupart des attachements évitants entrent tard dans la sexualité. Ils restent fidèles à des partenaires qu'ils n'aiment pas et auxquels ils finissent pourtant par s'attacher. Et lentement, leur style affectif distant finit par se réchauffer. Il n'est pas rare que les filles ambivalentes éprouvent à la puberté d'intenses désirs sexuels qui les angoissent. Alors, elles ne se toilettent pas, s'habillent de pulls flottants ou de blouses trop larges afin « que leurs seins n'attirent pas les garçons ». Quant aux adolescents torturés par l'intensité de désirs qu'ils ne savent exprimer, ils les « renversent en leur contraire [109] », font vœu de chasteté ou s'engagent dans des études excessives qui leur permettent de refouler leurs pulsions sexuelles. Les garçons plus actifs, inhibés ou délinquants, les filles plus verbales, intimistes ou dépressives [110], commencent alors une vie de relation où ils travaillent à réaliser le contraire de leurs désirs, amorçant ainsi une carrière de sublimation morbide qui leur permet d'éviter le risque sexuel.

Dans la population des adolescents à sexualité déchaînée, on trouve des attachements de différentes formes. Quelques enfants trop sages éprouvent soudain un sentiment de liberté en se jetant dans la sexualité à risque. On trouve quelques enfants inhibés, étonnés par la révélation sexuelle, et quelques jeunes qui après avoir jugulé leurs désirs s'abandonnent soudain au déchaînement. Mais la majorité de cette population est constituée par des jeunes dont l'attachement n'a jamais été façonné. Alors, quand la pulsion arrive, ils se lancent dans les rencontres hasardeuses : le premier rapport sexuel se passe vers leur douzième année. À l'âge de 18 ans, quand les autres jeunes de la population générale ont leur premier rapport sexuel, eux ont déjà eu six à huit partenaires sans aucune protection. Au Québec, 22 % des filles et 10 % des garçons de cet âge ont même eu des partenaires à haut risque de sida [111]. Contrairement aux images publicitaires qui nous montrent des jeunes filles raisonnables apprenant à leur partenaire masculin à se protéger, 80 % de ces filles ne se protègent jamais et attendent que le garçon prenne l'initiative. La grossesse précoce, la maladie sexuelle deviennent l'équivalent d'une roulette russe, un jeu avec le risque sexuel et la mort.

Qu'il s'agisse d'un adolescent qui ne sait pas ce qu'il vaut parce qu'il a été trop bien entouré, trop gouverné par des adultes qui décidaient à sa place, ou qu'il s'agisse d'un jeune qui ne sait pas qui il est parce qu'il a été isolé et engourdi dans un milieu informe, la drogue prend pour eux un effet de personnalisation. Le vide existentiel est soudain rempli par des actes sexuels, des grossesses précoces et par l'addiction qui donnent enfin un projet d'existence, comme une passion [112].

On ne peut donc pas dire qu'un attachement troublé mène à la drogue ou à la sexualité inconséquente, mais on peut affirmer qu'un attachement serein n'y mène presque jamais. Quand on a un projet d'existence où la sexualité tient une place importante, on n'a pas besoin de se mettre en scène et de devenir un héros de tragédie fangeuse. Quand ces jeunes ne sont pas structurés, la théâtralité de la drogue les aide à se faire une représentation d'eux-mêmes : « Il m'arrive enfin quelque chose... J'ai trouvé de la drogue... Je sais comment me procurer l'argent... J'ai beaucoup de rencontres sexuelles... Je deviens enfin un sujet. » Dans le vide existentiel comme dans la pléthore affective il ne se passe rien. La représentation de soi ne peut pas se construire. Tout événement est bon à prendre : la maladie qui donne sens et crée enfin des relations, les jeux de hasard qui érotisent le risque de perdre, les jeux de compétition où l'on découvre ce que l'on vaut, les simulacres où l'on met en scène un rituel barbare et les jeux de vertiges comme le parachutisme ou l'escalade où le risque de chute crée le sentiment de vivre un événement extraordinaire [113].

# CONCLUSION

Jusqu'à présent, le problème était simple puisqu'on estimait qu'à chaque coup du sort correspondait un dégât que l'on pouvait évaluer. L'avantage des problèmes simples, c'est qu'ils donnent aux observateurs l'impression de comprendre. L'inconvénient des problèmes simples, c'est qu'ils font oublier qu'un coup du sort est avant tout un événement mental. C'est pourquoi il faut distinguer le coup qui arrive dans le monde réel et la représentation de ce coup qui s'élabore dans le monde psychique. Or les coups les plus délabrants ne sont pas toujours les plus spectaculaires. Et la figuration du coup dans notre monde intérieur est une coproduction entre le récit intime que se construit le blessé et l'histoire qu'en fait son contexte culturel. L'éclopé de l'existence se raconte ce qui lui est arrivé afin de reprendre en main sa personnalité bousculée, alors que le témoin préfère se servir d'archives et de préjugés.

À la fin de sa vie, une personne sur deux aura subi un événement qualifiable de traumatisme, une violence qui l'aura poussée à côtoyer la mort. Une personne sur quatre aura été confrontée à plusieurs événements délabrants. Une personne sur dix ne parviendra pas à se débarrasser de son psychotraumatisme. Ce qui revient à dire que les autres, en se débattant et en s'engageant, seront parvenues à recoudre leur personnalité déchirée et à reprendre place dans l'aventure humaine [1].

Cet aspect dynamique du traumatisme explique la variabilité des chiffres de la résilience. Les cellules d'intervention d'urgence après un attentat ou une catastrophe montrent que 20 % de cette population violentée souffre du traumatisme. Mais les descriptions cliniques et les études épidémiologiques sont beaucoup trop statiques. Elles sont vraies comme sont vrais les flashs. Elles « ignorent les capacités d'évolution des symptômes et... c'est à cause de cette conception statique que l'on a dû créer la notion de résilience [2] ». Que se passe-t-il quand on échappe au traumatisme ? Quelle proportion de blessés souffriront d'une reviviscence de l'horreur alors qu'on croyait qu'ils l'avaient surmontée ? Ces questions nécessitent des études portant sur des cycles de vie entière.

Mais tous ont été morts, même ceux qui sont rentrés chez eux en souriant. Tous ont été dans les bras de l'agresseur innommable, car il s'agit de la mort elle-même « en personne [3] ». On peut vivre ensuite, on peut même en rire quand on revient de l'enfer, mais on ose à peine avouer qu'on se sent initié par la terrible expérience. Quand on a vécu parmi les morts, quand on a vécu la mort, comment dire qu'on est un revenant ? Comment faire comprendre que la souffrance n'est pas la dépression et que, souvent même, c'est le retour à la vie qui fait mal ?

À l'époque où l'on ne réfléchissait pas au processus de résilience, on a pu constater que « les enfants abandonnés précocement ou endeuillés ont une probabilité de dépression à l'âge adulte trois fois supérieure à la population générale [4]... ». Mais depuis que l'on aide ces enfants à revenir à la vie, le nombre de dépressions est exactement le même que dans tout groupe humain [5].

Pour entendre les témoignages des rescapés, il suffit de leur donner la parole : Gilgamesh le Sumérien, Sisyphe roi de Corinthe et Orphée le Thrace sont descendus aux enfers. Achille avait déjà exprimé son sentiment d'avoir été mort. Les armées napoléoniennes ont fourni un grand nombre de revenants comme le colonel Chabert rendu célèbre par Balzac. Dostoïevski a parlé de la trace indélébile laissée dans sa mémoire par « l'empreinte de la maison des morts » au bagne de Sibérie [6]. Mais c'est le XXᵉ siècle qui a fourni la plus grande production de fantômes : la guerre de 14-18 racontée par Roland Dorgelès dans *Le Jardin des morts*, Henri Barbusse avec *Le Feu* et Hermann Hesse dans *Le Loup des steppes* nous ont dit à quel point les revenants envahissent la vie.

L'enfer de l'enfer a été construit avec des cabanes en planches dans les camps d'extermination nazis. Robert Antelme, chassé de l'espèce humaine [7], Primo Levi considéré comme un simple morceau, annulé en tant qu'être humain par un évitement du regard qui le rendait transparent comme une ombre, ont dû faire le deuil d'eux-mêmes et devenir cadavres parmi les cadavres. Jorge Semprun a cherché à se taire, à faire « une longue cure d'aphasie pour survivre [8] ». Le déni l'a protégé en glaçant une partie de son monde, jusqu'au jour où le réel lui est revenu en pleine tête quand il a vu des actualités filmées montrant des « images intimes » d'amoncellements de cadavres dans les camps nazis ! « Nous n'avons pas survécu à la mort... Nous l'avons vécue... Nous ne sommes pas des rescapés, mais des revenants [9]. »

Il y a des cultures où la résilience n'est pas pensable puisque l'organisation sociale ne la rend pas possible. Comment voulez-vous redevenir humain quand on ne vous permet pas d'apprendre votre « métier d'homme [10] » parce qu'un accident a déchiré l'image sous laquelle vous apparaissiez ?

Mais quand, malgré la souffrance, un désir est murmuré, il suffit qu'un autre l'entende pour que la braise reprenne flamme.

*Et quand il est à s'en mourir*
*Au dernier moment de la cendre*
*La guitare entre dans la chambre*
*Le feu reprend par le chant sombre [11].*

« Mon père allait revenir... ma mère me promettait qu'à son retour tout irait mieux. Elle en faisait un fantôme merveilleux, c'était le plus gentil, le plus beau, le plus fort, le plus tendre, le meilleur des pères et il allait revenir [12]. »

Il n'est pas fou de vouloir vivre et d'entendre au fond du gouffre un léger souffle qui murmure que nous attend, comme un soleil impensable, le bonheur.

NOTES

## Introduction

1. J. Charyn, « Sugar Kane et la princesse Rita », *Revue des Deux Mondes*, juillet-août 2000, p. 17.

2. J. Luquet, *Hans Christian Andersen (1805-1875)*. *Le vilain petit canard*, Société française de psychologie adlérienne, bulletin n° 85, avril 1996.

3. *Ibid.*, p. 4.

4. *Ibid.*, p. 20.

5. Résilience : processus qui permet de reprendre un type de développement malgré un traumatisme et dans des circonstances adverses.

6. S. Vanistendael, J. Leconte, *Le Bonheur est toujours possible*, préface Michel Manciaux, Paris, Bayard, 2000.

7. Charles Dickens a suivi exactement le même processus. D'abord enfant blessé par l'emprisonnement de son père qui avait entraîné l'extrême misère de la famille, le petit Charles a dû travailler dès l'âge de 12 ans dans une usine de cirage. Il s'est psychiquement réparé grâce aux contes. Puis, à l'âge adulte, il les a abandonnés pour écrire des romans d'éducation et s'engager socialement. Peter Ackroyd, *Dickens*, Londres, Vintage, 1999.

## I

## Les bambins ou l'âge du lien

1. C. Leroy, à propos d'Alphonse Boudard et des isolés sensoriels, *in* G. Di Gennaro (dir.), *Space in the Prison*, Londres, Architectural Press, 1975.

2. A. Boudard, *La Cerise*, Paris, Plon, 1963.
3. D. Bisson, E. de Schonen, *L'Enfant derrière la porte*, Paris, Grasset, 1993, p. 10.
4. *Ibid.*, p. 27.
5. S. Freud (1895), « Esquisse d'une psychologie scientifique », *in Naissance de la psychanalyse*, Paris, PUF, 1956.
6. M. Leclerc-Olive, *Le Dire de l'événement*, Villeneuve d'Ascq, Presses universitaires du Septentrion, 1997.
7. M. Bertrand, « La notion de traumatisme et ses avatars », *Le Journal des psychologues*, n° 194, février 2002.
8. J. Waldner, « Le placement en institution », *in* J.-P. Pourtois (dir.), *Blessure d'enfant*, Bruxelles, De Boeck Université, 1995, p. 253.
9. P. Gay, *Freud. Une vie*, Paris, Hachette, 1991, p. 428 ; S. Freud (1917), *Deuil et mélancolie*, Paris, Gallimard, 1952, p. 189-222.
10. Jean Wier, cité *in* E. Pewzner, *L'Homme coupable. La folie et la faute en Occident*, Paris, Privat, 1992, p. 57.
11. L. Freden, *Aspects psychosociaux de la dépression*, Sprimont, Pierre Mardaga, 1982.
12. E. M. Kranzler, « Early childhood bereavement », *J. Am. Acad. Child. Adolesc. Psychiatry*, 1992, 29 (4), p. 513-520.
13. M. D. S. Ainsworth, M. C. Blehar, E. Waters, S. Wall, *Patterns of Attachment : A psychological Study of the Strange Situation*, Hillsdale, NJ, Erlbaum, 1978 ; commenté *in* R. Miljkovitch, *L'Attachement au cours de la vie*, Paris, PUF, 2001.
Dès l'âge de 12 à 18 mois, les enfants de toute population manifestent dans une situation d'observation standardisée un profil de comportement d'attachement où :
• 65 % des enfants ont acquis un attachement sécure : ils aiment explorer parce qu'ils se sentent aimés.
• 20 % ont acquis un attachement ambivalent : ils agressent ceux qu'ils aiment.
• 15 % luttent contre leurs affects pour moins souffrir.
• 5 % sont confus.
Total de plus de 100 % à cause de l'instabilité des attachements insécures.
14. M. Hanus, *La Résilience, à quel prix ?*, Paris, Maloine, 2001, p. 62.
15. M. Berger, « L'utilité des critères indicateurs de placements ? », *Journal du droit des jeunes*, 2002, n° 213, p. 18-23.
16. *Ibid.*
17. F. Mouhot, « Le devenir des enfants de l'Aide sociale à l'enfance », *Devenir*, 2001, 13 (1), p. 31-66.
18. S. Ionescu, C. Jourdan-Ionescu, « La résilience des enfants roumains abandonnés, institutionnalisés et infectés par le virus du sida », *in* M. Manciaux, *La Résilience. Résister et se construire*, Genève, Médecine et Hygiène, 2001, p. 95-99.

19. T. G. O'Connor, D. Bredenkamp, M. Rutter, « Attachment disturbances and disorders in children exposed to early severe deprivation », *Infant Mental Health Journal*, 1999, 20 (1), p. 10-29.

20. A. Clarke, *Early Experience and the Live Path*, Londres, Kingsley, 2000.

21. J. Lecomte, *Briser le cycle de la violence. Quand d'anciens enfants maltraités deviennent des parents non maltraitants*, thèse de doctorat de troisième cycle en psychologie, Toulouse, École pratique des hautes études, 2002.

22. D. A. Wolfe, C. Wekerle, « Pathways to violence in teen dating relationship », *in* D. Cicchetti, S. L. Toth, *The effects of trauma on the developmental process*, vol. III, New York, University of Rochester, 1998, p. 315-342.

23. D. B. Bugenta, « Communication in abusive relationships : Cognitive constructions of interpersonal power », *American Behavioral Scientist*, 1993, 36, p. 288-308.

24. D. Cicchetti, S. Toth, M. Bush, « Development psychopathology and competence in childhood : Suggestions and interventions », *in* B. B. Lahey, A. E. Kazdin (dir.), *Advances in Clinical Child Psychology*, vol. 11, New York, Plenum, 1998, p. 1-77.

25. S.-L. Éthier, *La Négligence et la violence envers les enfants*, Boucherville (Québec), Gaétan Morin Éditeur, 1999, p. 604.

26. M. Emmanuelli, « Quotient intellectuel », *Dictionnaire de psychopathologie de l'enfant et de l'adolescent*, Paris, PUF, 2001.

27. A. Dumaret, J. Stewart, « Récupération des retards du développement psychologique après disparition des facteurs environnementaux néfastes », *La Psychiatrie de l'enfant*, 1989, 32 (2), p. 593-615.

28. C. Wekerle, A. David, A. Wolfe, « The role of child maltreatment and attachment : Style in adolescent relationship violence », *in* D. Cicchetti, B. Nurcombe (dir.), *Development and Psychopathology*, vol. 10, n° 3, Cambridge, Cambridge University Press, 1998, p. 574.

29. A. Tabouret-Keller, « Thomas Platter, un écolier vagabond au début du xvi<sup>e</sup> siècle », *Le Furet*, n° 30, décembre 1999, p. 50-53.

30. C. G. Banaag, *Resiliency : Stories found in Philippine Streets*, Unicef, 1997.

31. E. Leroy-Ladurie, *Le Siècle de Platter, 1499-1628*, tome 1 : *Le Mendiant et le professeur*, Paris, Fayard, 1995, p. 41-42.

32. *Ibid.*

33. C. Banaag, *op. cit.*, p. 5. Cent vingt millions d'enfants des rues aujourd'hui sur la planète (Dominique Versini, secrétaire d'État à la lutte contre la précarité et l'exclusion, UNESCO, 21 novembre 2002).

34. A. Berrada, « Migration et sécurité de l'enfant », *Droits de l'enfant et sécurité humaine dans l'espace euro-méditerranéen*, Marrakech, octobre 2002. Hervé Le Bras pense au contraire que les populations vont s'attacher au lieu d'origine.

35. Sauf dans les syndromes traumatiques où la blessure saigne toujours, comme si elle venait de se produire.

36. F. Cano, M. E. Colmenares, A. C. Delgado, M. E. Villalobos, *La Resiliencia. Responsabilidad del sujeto y esperanzo social*, Colombie, Rafue, 2002.

37. R. Fivush, « Children's recollections of traumatic and non traumatic events », *Development and Psychopathology*, 1998, 10, p. 699-716.

38. S. Ferenczi, « Confusion de langue entre les adultes et l'enfant », in *Psychanalyse IV, Œuvres complètes*, Paris, Payot, 1982, p. 125-135.

39. R. Puyelo, « L'odyssée psychanalytique », in A. Konichekis, J. Forest, R. Puyelo, *Narration et psychanalyse*, Paris, L'Harmattan, 1999, p. 139-140.

40. G. Bonnet, « Narration et narcissisation », in A. Konichekis, J. Forest, *ibid.*, p. 38-40.

41. D. Cicchetti, Barry Nurcombe (dir.), *Risk, Trauma and Memory. Development and Psychopathology*, vol. 10, n° 4, Cambridge, Cambridge University Press, automne 1998.

42. M. E. Pipe, J. Dean, J. Canning, T. Murachuer, « Narrating events and telling stories », *Conference on Memory*, Abano, juillet 1996.

43. A. Houbbalah, *Destin du traumatisme*, Paris, Hachette, 1998, p. 191.

44. R. Fivush, « Developmental perspectives on autobiographical recall », in G. S. Goodman, B. L. Bottoms (dir.), *Child Victims, Child Witnesses*, New York, Guilford, 1993, p. 1-24.

45. J.-L. Viaux, « Expertise d'enfant, parole de victime, fonction du juridique », in M. Gabel, S. Lebovici, P. Mazet, J.-L. Viaux, *Le Traumatisme de l'inceste*, Paris, PUF, 1995, p. 168.

46. P. Bensussan, « Témoignage négligé, allégation abusive », *Sexologos*, janvier 2002.

47. M.-D. Vergez, M. De Maximy, « Regards juridiques croisés dans un cas d'allégation d'abus sexuel », in M. Manciaux, D. Girodet, *Allégation d'abus sexuels. Paroles d'enfant, paroles d'adultes*, Paris, Fleurus, 1999, p. 129-143.

48. P. Parseval, G. Delaisi de Parseval, « Les pères qui divorcent seraient-ils tous des abuseurs sexuels ? », *Journal du droit des jeunes*, juin 2000.

49. P. Ariès, G. Duby, *Histoire de la vie privée*, tome 3, Paris, Le Seuil, 1985, p. 319.

50. *Ibid.*, p. 323.

51. A. Miller, *C'est pour ton bien. Racines de la violence dans l'éducation de l'enfant*, Paris, Aubier, 1984.

52. B. Pierrehumbert, cours pour le diplôme d'université : « Attachement et systèmes familiaux », université de Toulon, novembre 2001.

53. A. F. Newcomb, W. M. Bukowski, L. Patte, « Children's peer relations : A meta-analytic revew of popular, rejected, neglected, controversial, and average sociometric status », *Psychological Bulletin*, 1993, 113 (1), p. 99-128.

54. V. Lew, M. Boily, *Les Risques psychosociaux chez les enfants de personnes atteintes de maladie mentale*, Boucherville (Québec), Gaétan Morin Éditeur, 1999, p. 556.

55. J. Lecamus, *Le Vrai Rôle du père*, Paris, Odile Jacob, 2001.

56. M. Ravoisin, J.-P. Pourtois, H. Desmet, « Les enfants d'ouvrier à Polytechnique », *in* J.-P. Pourtois, H. Desmet, *Relations familiales et résilience*, Paris, L'Harmattan, 2000, p. 173-195.

57. G. Charpak, D. Saudinos, *La Vie à fil tendu*, Paris, Odile Jacob, 1993, p. 36.

58. P. Nimal, W. Lahaye, J.-P. Pourtois, *Trajectoires familiales d'insertion sociale*, Bruxelles, De Boeck, 2001.

59. C. Enjolet, *Princesse d'ailleurs*, Paris, Phébus, 1997.

60. C. G. Banaag, *op. cit.*

61. Y. Le Menn, M. Le Bris, *Fragments du royaume*, Grigny, Venissiaux, Parole d'aube, 1995.

62. W. Golding, *Sa Majesté-des-Mouches*, Paris, Gallimard, 1956.

63. J. Dryden, B. R. Johnson, S. Howard, A. Mc Guire, « Resiliency : A comparison arising from conversations with 9-12 year old children and their teachers », Annual meeting of the American Educational Research Association, San Diego, avril 1998, p. 13-17.

64. J.-L. Bauvois, R. V. Joule, « La psychologie de la soumission », *La Recherche*, 1998, 202, p. 1050-1057.

65. S. Bellil, *Dans l'enfer des tournantes*, Paris, Denoël, 2002.

66. M. Gannage, *L'Enfant, les parents et la guerre*, Paris, ESF, 1999, p. 87.

67. D. Schawartz, R. Steven, N. Mc Fadyen-Ketchun, A. Kenneth, G. Dodge, S. Petit, J. E. Bates, « Peer group victimisation as a predictor of children behavior problems at home and school », *Development and Psychopathology*, Cambridge, Cambridge University Press, 1998, 10, p. 87-89.

68. J. R. Meloy, *Violent Attachment*, Northvale, NJ, Aronson, 1992.

69. E. Debarbieux, C. Blaya, *La Violence en milieu scolaire*, Paris, ESF, 2001, p. 50.

70. R. Myrick, « Development guidance and counselling : A practical approach », Minneapolis Educational Medical Corp, 1997.

71. E. U. Hodges, D. G. Perry, *Behavioral and social antecedents and consequences of victimization by peers*, Society for research in child development, Indianapolis, mars 1995.

72. E. Werner, R. Smith, *Vulnerable but Invincible : A longitudinal study of resilient children and youth*, New York, Adams, Bannister & Cox, 1988.

L. Leblanc, séminaire du diplôme d'université de Toulon-Porquerolles, 9 juin 2002.

73. A. Hicklin, « The warrior class », *The Independent*, 21 février 2002.

74. A. Vasquez-Bronfman, J. Martinez, *La Socialisation à l'école*, Paris, PUF, 1996.

244    LE MURMURE DES FANTÔMES

75. M. Ravoisin, J.-P. Pourtois, H. Desmet, « Les enfants d'ouvriers à Polytechnique », *in* J.-P. Pourtois, H. Desmet, *op. cit.*, p. 173-195.

76. Centre de recherche et d'innovation en sociopédagogie familiale et scolaire (CERIS), université de Mons-Hainaut.

77. J. Miermont (dir.), « Parentification », *Dictionnaire des thérapies familiales*, Paris, Payot, 2001.

78. G. Harrus-Redivi, *Parents immatures et enfants-adultes*, Paris, Payot, 2001, p. 14.

79. S. Ferenczi (1932), « Confusion des langues entre les adultes et l'enfant », *in Psychanalyse IV, op. cit.*

80. J. Barudy, *La Douleur invisible de l'enfant* : *l'approche écosystémique de la maltraitance*, Ramonville-Saint-Agne, Érès, 1997.

81. M. Foucault, *Naissance de la clinique*, Paris, PUF, p. 7.

82. A. Oppenheimer, « Enfant, enfance, infantile », *Revue française de psychanalyse*, 1994.


II

Les fruits verts ou l'âge du sexe

1. M. Coppel-Batsh, « Georges Perec, romancier de la psychanalyse », *Les Temps modernes*, n° 604, mai-juin-juillet 1999, p. 199.

2. G. Perec, *W ou le souvenir d'enfance*, Paris, Denoël, 1975.

3. J. Bruner, *Car la culture donne forme à l'esprit. De la révolution cognitive la psychologie culturelle*, Paris, Eshel, 1991, p. 57-77.

4. *Ibid.*, p. 58.

5. N. de Saint-Phalle, *Mon secret*, Paris, La Différence, 1994, p. 5.

6. S. Freud, *in* J. Laplanche, J.-B. Pontalis, *Idéal du moi*, Paris, PUF, 1967, p. 184.

7. A. Freud, *Le Moi et les mécanismes de défense*, Paris, PUF, 1936, 1993.

8. M. Bellet, *Les Survivants*, Paris, L'Harmattan, 2001.

9. A. de Cacqueray, J. Dieudonné, « Familles d'écrivains », *Archives et culture*, 2000.

10. S. Freud, « Lettre à Wilhelm Fliess, 2 mai 1897 », *in La Naissance de la psychanalyse*, Paris, PUF, 1979.

11. S. Ionescu, M.-M. Jacquet, C. Lothe, *Les Mécanismes de défense. Théorie et clinique*, Paris, Nathan, 1997, p. 253.

12. J.-P. Klein, E. Viarm, « L'art, exploration de l'intime », *Cultures en mouvements*, n° 34, février 2001, p. 23.

13. Hölderlin (1797), *Hypèrion*, Paris, Gallimard, 1973, p. 21.

14. J. Russ, *Le Tragique créateur*, Paris, Armand Colin, 1998

15. C. Masson, *L'Angoisse et la création*, Paris, L'Harmattan, 2001, p. 19.

16. G. Perec, *op. cit.*

17. N. de Saint-Phalle, *op. cit.*
18. N. Abraham, M. Torok, *L'Écorce et le Noyau*, Paris, Flammarion, 1987.
19. F. Ponge, *Le Parti pris des choses*, Paris, Gallimard, 1948, p. 105.
20. C. Masson, *op. cit.*, p. 154.
21. M. Proust, *À la recherche du temps perdu*, tome VII, *Le temps retrouvé*, Paris, Galllimard, 1989, p. 206.
22. F. Lignon, *Erich Von Stroheim. Du ghetto au gotha*, Paris, L'Harmattan, 1998, p. 316.
23. P. Ackroid, *op. cit.*
24. G. Gusdorf, *Les Écritures du moi*, tome II, Paris, Odile Jacob, 1990, p. 200.
25. P. Ariès, G. Duby, *op. cit.*, p. 158.
26. « Peau d'Âne », *Vieux contes français*, Paris, Flammarion, 1980.
27. H. Malot, *Sans famille*, Paris, Hachette, 1933.
28. Cité *in* A. Gianfrancesco, « Une littérature de résilience ? Essai de définition », *in La Résilience. Résister et se construire*, Genève, Médecine et hygiène, 2001, p. 27 ; E. Charton, *Mendier. Enfance et éducation d'un paysan au xviiiᵉ siècle*, Paris, Le Sycomore, 1981.
29. R. Shafer, « A new language for psychoanalysis », *Psychoanalysis*, Yale University Press, 1976.
30. M. Rustin, *The Good Society and The Inner World*, Londres, Vintage London, 1991.
31. A. Soljenitsyne, *L'Archipel du goulag*, Paris, Le Seuil, 1974, p. 110.
32. G. Pineau, J.-L. Legrand, *Les Histoires de vie*, Paris, PUF, 2000.
33. M. Myquel, « Mythomanie », *Dictionnaire de psychopathologie de l'enfant*, Paris, PUF, 2001.
34. J. Semprun, *Le Grand Voyage*, Paris, Gallimard, 1972.
35. S. Smith, *J. K. Rowling. La magicienne qui créa Harry Potter*, Lausanne, Favre, 2002, p. 29.
36. F. Uhlman, *L'Ami retrouvé*, Paris, Gallimard, « Folio », 1997, p. 106-107.
37. J.-P. Gueno, Y. Laplume (dir.), *Paroles de poilus. Lettres et carnets de front, 1914-1918*, Paris, Librio, 1998, p. 104-105.
38. E. Carrère, *L'Adversaire*, Paris, POL, 2000.
39. P. Romon, *Le Bienfaiteur*, Paris, L'Archipel, 2002.
40. *Ibid.*
41. S. Vanistendael, *La Spiritualité*, Genève, Bureau international catholique de l'enfance, 2002.
42. E. Carrère, *op. cit.*, p. 183-186.
43. F. Lignon, *op. cit.*, p. 9.
44. *Ibid.*, p. 27 et 324.
45. E. Lappin, *L'Homme qui avait deux têtes*, Paris, L'Olivier, 1999.
46. G. Maurey, *Mentir. Bienfaits et méfaits*, Bruxelles, De Boeck Université, 1996, p. 123.

47. E. J. Menvielle, *Psychiatric Outcome and Psychosocial Intervention for Children Exposed to Trauma. The Psychological Well-Being of Refugee Children*, Genève, International Catholic Child Bureau, 1996, p. 94.

48. Depuis quelques décennies, un tabou culturel nous « interdit » de prononcer le mot « normal ». Il y a pourtant trois définitions possibles de la norme :
1/ La norme statistique qu'on pourrait appeler la « moyenne ».
2/ La norme normative qui normalise ce qui est admis par la culture.
3/ La norme axiologique qui caractérise le meilleur fonctionnement possible d'une personne.
Ces trois composants hétérogènes définissent le « normal ».
D. Houzel, « Normal et pathologique », in D. Houzel, M. Emmanuelli, F. Moggio, *Dictionnaire de psychopathologie de l'enfant et de l'adolescent*, Paris, PUF, 2000, p. 457.

49. E. La Maisonneuve, *La Violence qui vient*, Paris, Arléa, 1997, p. 165-173.

50. Amosapu : Association mozambicaine de santé publique.

51. Boia Efraim Junior, thèse de doctorat en psychologie, cité *in* J. Kreisler, « Enfants-soldats au Mozambique. L'enfant et la guerre », *Enfance majuscule*, n° 31, octobre-novembre 1996, p. 4.

52. *Ibid.*, p. 24.

53. M. Grappe, « Le devenir des jeunes combattants », Huitième réunion du groupe de recherche du CERI, B. de Pouligny, Paris, 7 mars 2002.

54. *Ibid.*

55. S. Tomkiewicz, « L'enfant et la guerre », *Enfance majuscule*, n° 31, octobre-novembre 1996, p. 13.

56. G. Mootoo, *Sierra Leone. Une enfance perdue*, Amnesty International, 2000.

57. J. Vicari, « Résilience, urbanisme et lieux de rencontre », *in* M.-P. Poilot, *Souffrir mais se construire*, Paris, Fondation pour l'enfance/Érès, 1999, p. 164-174.

58. S. Roché, « Délinquance des jeunes : des groupes actifs et éphémères », *Sciences humaines*, n° 129, juillet 2002 ; *Tolérance zéro ? Incivilités et insécurité*, Paris, Odile Jacob, 2002.

59. L. Bègue, « Sentiment d'injustice et délinquance », *Futurible*, n° 274, avril 2002.

60. G. Conghi, D. Mazoyer, M. Vaillant, *Face aux incivilités scolaires*, Paris, Syros, 2001.

61. Témoignage de Mme Bruère-Dawson, « École des parents », Téléphone vert.

62. M. Vaillant, « L'hypothèse transitionnelle dans la réparation. Recyclage de la violence et capacité de résilience », *Journal du droit des jeunes*, n° 196, juin 2000.

63. P. Dubéchot, P. Le Queau, « Quartiers prioritaires. Les jeunes qui " s'en sortent " », Crédoc, *Consommation et modes de vie*, n° 126, avril 1998.

64. J.-F. Mattei, Communication personnelle, Mouans-Sartoux, 21 septembre 2002. Les dialogues de cinéma disent simplement : « Tarzan... Jane », mais quand ils sont accompagnés d'un pointé de l'index qui désigne, on ne peut l'écrire qu'avec les mots : « Moi, Tarzan... Toi, Jane. »

65. *Le Père tranquille*, film de R. Clément, avec Noël-Noël, 1946.

66. *Die Mörder sind unter uns*, film de W. Staudte, 1946.

67. P. Centlivres, D. Fabre, F. Zonabend (dir.), *La Fabrique des héros*, Paris, Maison des sciences de l'homme, 1998.

68. Sauf ceux qui iront au musée du Louvre voir le tableau pompier de De Weerts, où l'on découvre un grand garçon à la peau blanche, plaqué contre un magnifique cheval blanc dressé, sur le point d'être percé par les fourches des Vendéens grimaçants.

69. G. Droniou, *Fesch, mon nom guillotiné*, Paris, Éditions du Rocher, 2001, p. 40.

70. *Ibid.*, p. 65.

71. *Ibid.*, p. 168.

72. A. Muxel, « Le héros des jeunes Français : vers un humanisme politique réconciliateur », *in* P. Centlives *et al.*, *op. cit.*, p. 80-81.

73. *Ibid.*, p. 86.

74. L. A. Sroufe, *Emotional Development : The Organization of Emotional Life in the Early Years*, Cambridge, Cambridge University Press, 1996.

75. E. Palacio-Quintin, « Les relations d'attachements multiples de l'enfant comme élément de résilience », *in* J.-P. Pourtois, H. Desmet, *op. cit.*, p. 119.

76. F. A. Goosens, M. H. Van Ijzendoorn, « Quality of infant's attachment to professionnal caregivers : Relation to infant-parent attachment and day care characteristic », *Child Development*, 1990, 61, p. 832-837.

77. R. A. Thomson, *Construction and Reconstruction of Early Attachment*, Hillsdale, New Jersey, Laurence Erlbaum, 1991, p. 41-67.

78. C. Rodhain, *Le Destin bousculé*, Paris, Robert Laffont, 1986.

79. T. Masao, *Homo japonicus*, Paris, Picquier; Comunication de Muriel Jolivet, université Sophia-Antipolis, Faculty of Foreign Studies, Tokyo, 1999.

80. C. Chalot, « La croyance en un monde juste comme variable intermédiaire de réaction au sort d'autrui et à son propre sort », *Psychologie française*, t. 25, n° 1, mars 1980.

81. E. Lappin, *L'Homme qui avait deux têtes*, *op. cit.*, p. 15.

82. R. Robin, « La judiciarisation de l'holocauste », *La Lettre des amis de la CCE*, n° 29, février 2000, p. 14.

83. G. Lopez, A. Casanova, *Il n'est jamais trop tard pour cesser d'être une victime*, Bruxelles, EDLM, 2001, p. 88.

84. Ségolène Royal, ministre de la Famille, en a fait un programme d'action sociale à partir de 2000.

85. L. S. Éthier, « La négligence et la violence envers les enfants », *Psychopathologie de l'enfant et de l'adolescent : approche intégrative*, Boucherville (Québec), Gaëtan Morin, 1999, p. 604.

86. M. Erickson, B. Egeland, « Child neglect », *in* J. Brière, L. Berliner, J. A. Buckley, C. Jenny, T. Reid (dir.), *Handbook of Child Maltreatment*, Thousand Oats Sage Publications, 1996, p. 4-20.

87. P. K. Trickette, C. Mc Bride-Chang, « The developmental impact of different forms of child abuse and neglect », *Developmental Review*, 1995, 15 (3), p. 311-337.

88. C. Hazan, C. Shaver, « Attachment as an organizational framework for research on close relationships », *Psychological Inquiry*, 1994, 5, p. 1-22.

89. A. Duperey, *Allons plus loin, veux-tu ?* Paris, Le Seuil, 2002.

90. M. Tousignant, M.-F. Bastien, « Le suicide et les comportements suicidaires », *op. cit.*, p. 527.

91. *Ibid.*, p. 527.

92. M. J. Paulson, D. Stone, R. Sposto, « Suicide potential and behavior in children ages 4 to 12. Suicide and life », *Threatening Behavior*, 1978, 8 (4), p. 225-242.

93. S. M. Consoli, « Du stress à la souffrance physique », *Revue française de psychiatrie et de psychologie médicale*, tome IV, n° 38, mai 2000.

94. B. Golse, « L'attachement à l'adolescence », *L'Autre*, vol. 2, n° 1, 2001, p 109-116.

95. E. Waters, S. Merrick, D. Reboux, L. L. J. Crowell, L. Albersheim, « Attachment security in infancy and early adult hood », *Twenty-Year Longitudinal Study*, 2000, 71 (3), p. 684-689.

96. S. Vanistendael, J. Lecomte, *Le Bonheur est toujours possible. Construire la résilience*, Paris, Bayard, 2000.

97. Y. Mukagasana, *Ils ont tué mes enfants*, Paris, Fixot, 1998.

98. S. Tomkiewicz, « L'enfant et la guerre », *Enfance majuscule*, n° 31, octobre-novembre 1996.

99. E. Mueller, N. Silverman, « Peer relations in maltreated children », *in* D. Cicchetti, V. Carlsen (dir.), *Child maltreatment. Theory and Research on the Course and Consequences of Child abuse and neglect*, Cambridge, Cambridge University Press, 1989, p. 529-578.

100. C. Enjolet, *op. cit.*, p. 129.

101. *Ibid.*, p. 56.

102. La variabilité des chiffres d'une étude à l'autre dépend du lieu et du mode de recueil des informations, mais l'ordre de grandeur reste le même.

103. D. Pleux, *De l'enfant roi à l'enfant tyran*, Paris, Odile Jacob, 2002.

104. M. R. Moro, *Enfants d'ici venus d'ailleurs*, Paris, La Découverte, 2002, p. 102.

105. *Ibid.*
106. *Ibid.*, p. 103.
107. G. Devereux (1967), *De l'angoisse à la méthode*, Paris, Flammarion, 1980.
108. M. Bozon, H. Léridon, *Sexualité et sciences sociales*, Paris, Ined/PUF, 1993, p. 1334.
109. S. Ionescu, M.-M. Jacquet, C. Lothe, *Les Mécanismes de défense. Théorie et clinique*, Paris, Nathan, 1997, p. 263.
110. J. E. Fleming, D. R. Offord, « Epidemiology of childhood depressive disorders : A critical review », *Journal of the American Academy of Child and Adolescent Psychiatry*, 1990, 29, p. 571-586.
111. J.-Y. Frappier, C. Roy, D. A. Morin, D. H. Morin, *L'Infection au VIH chez les adolescents en difficulté de Montréal*, communication personnelle, 1997.
112. M. Lejoyeux, M. Claudon, J. Mourad, « La dépendance alcoolique : données cliniques et psychopathologies », *Perspectives psy*, vol. 38, n° 5, décembre 1999.
113. R. Caillois, *Les Jeux et les hommes*, Paris, Gallimard, 1960.

## Conclusion

1. R. Yehuda, « Le DST prédicteur du PTSD », *Abstract Neuro-psy*, n° 168, juin-juillet 1997, p. 10.
2. M. Bertrand, « La notion du traumatisme et ses avatars », *Le Journal des psychologues*, n° 194, février 2002, p. 22.
3. C. Barrois, « Traumatisme et inceste », *in* M. Gabel, S. Lebovici, P. Mazet, *Le Traumatisme de l'inceste*, Paris, PUF, 1995, p. 19.
4. M. Toussignant, *Les Origines sociales et culturelles des troubles psychologiques*, Paris, PUF, 1992, p. 122.
5. C. Sabatier, « La culture, l'immigration et la santé mentale des enfants », *Psychopathologie de l'enfant et de l'adolescent : approche intégrative*, Boucherville (Québec), Gaëtan Morin, 1999, p. 551.
6. L. Crocq, « Le retour des enfers et son message », *Revue francophone du stress et du trauma*, t. 1, n° 1, novembre 2000, p. 5-19.
7. R. Antelme, *L'Espèce humaine*, Paris, Gallimard, 1957.
8. J. Semprun, *L'Écriture ou la vie*, Paris, Gallimard, 1994.
9. *Ibid.*
10. A. Jollien, *Le Métier de l'homme*, Paris, Seuil, 2002.
11. L. Aragon, *Le Fou d'Elsa*, Paris, Gallimard, 1963, p. 417.
12. J. P. Guéno, *Paroles d'étoiles*, Paris, France-Bleu, 2002, p. 135.

# TABLE

INTRODUCTION ................................. 7
*Personne n'a su voir que la douce et jolie Marilyn Monroe*
*n'était pas revenue à la vie, après ses multiples abandons.*
*Alors que le petit Hans Christian Andersen, mille fois*
*plus agressé, a été réchauffé par l'amour de quelques*
*femmes et l'encadrement de sa culture.*

# I

## LES BAMBINS OU L'ÂGE DU LIEN

**Sans surprise rien n'émergerait du réel.** ............ 19
*Un coup fait mal, mais c'est la représentation du coup*
*qui fait le traumatisme.*

**Quand la chute de la serpillière devient terrifiante** .. 23
*Un événement est une saillance sensorielle et sensée.*

**Une ronde enfantine comme une baguette magique** . 27
*L'événement est une inauguration, comme une nais-*
*sance à l'idée qu'on se fait de soi.*

C'est ainsi que les hommes font parler les choses...          30
*Une cerise dans un tas d'ordures peut signifier l'espoir*
*autant que la souillure.*

L'alliance du deuil et de la mélancolie.............          34
*La perte de la capacité d'aimer et de travailler se retourne*
*en agressivité contre le sujet lui-même.*

Le vide de la perte est-il plus délabrant qu'un entourage destructeur?................................          38
*La séparation protège l'enfant mais ne soigne pas son*
*traumatisme.*

Une braise de résilience peut reprendre vie quand on
souffle dessus ..................................          41
*Trois sales gosses abandonnés se sentant responsables*
*d'une vieille dame vulnérable ont retapé la maison et*
*l'estime d'eux-mêmes.*

Comment amener un enfant maltraité à répéter la
maltraitance....................................          43
*Le plus sûr moyen de vérifier la véracité de ce slogan,*
*c'est de ne pas s'occuper de ces enfants.*

Le triste bonheur d'Estelle était quand même un progrès ...........................................          46
*Elle fait un métier qu'elle n'aime pas, en compagnie d'un*
*homme qu'elle n'aime pas : elle va beaucoup mieux.*

Résilience des enfants des rues en Suisse au
XVIᵉ siècle......................................          49
*L'école devient un événement majeur parce qu'elle*
*constitue leurs premiers pas vers la socialisation.*

TABLE 253

Ils se sentaient aimables puisqu'on les avait aimés, ils avaient appris l'espoir........................... 53
*C'est dans les premiers mois que cet attachement est le plus facile à imprégner. Après ça reste possible, mais c'est plus lent.*

Donner aux enfants le droit de donner............. 56
*Donner un cadeau ou offrir un spectacle permet de rétablir l'égalité.*

On ne peut parler de traumatisme que s'il y a eu une agonie psychique.................................. 59
*Sinon, c'est une épreuve.*

La narration permet de recoudre les morceaux d'un moi déchiré..................................... 60
*L'outil qui permet ce travail se nomme « narration ».*

Empreinte du réel et quête de souvenirs............ 64
*La force du réel crée des sensibilités préférentielles et des habiletés relationnelles.*

Quand un souvenir d'image est précis, la manière d'en parler dépend de l'alentour.................... 68
*Les souvenirs d'un enfant sont lumineux, mais les paroles sur l'enfant peuvent les troubler.*

L'école révèle l'idée qu'une culture se fait de l'enfance ........................................ 75
*Quand on pense l'enfant différemment, c'est que la culture est en train de changer.*

Le jour de sa première rentrée scolaire, un enfant a déjà acquis un style affectif et appris les préjugés de ses parents ..................................... 78
*Aimer, travailler et historiser, ces trois conditions de toute vie humaine sont entièrement à repenser à cause des découvertes scientifiques.*

Quelques familles-bastions résistent au désespoir culturel......................................... 81
*Même dans un contexte de grande misère on trouve des familles structurées qui dynamisent leurs enfants.*

Quand les enfants des rues résistent aux agressions culturelles....................................... 85
*La vulnérabilité sociale d'une mère n'entraîne pas obligatoirement la carence affective.*

On a négligé le pouvoir façonnant des enfants entre eux............................................... 88
*Dès l'âge de 6 ans, les enfants commencent à échapper à l'influence des parents.*

Une rencontre muette mais lourde de sens peut prendre un effet de résilience ..................... 93
*Un minuscule petit signe peut transformer une relation.*

On peut surinvestir l'école pour plaire à ses parents ou pour leur échapper ......................... 97
*Tu vas faire notre fierté ou tu vas nous trahir.*

TABLE 255

La croyance en ses rêves comme une liberté intérieure ........................................ 100
*Ne pas répondre aux autres pour mieux réaliser ses projets.*

Une défense légitime mais coupée des autres peut devenir toxique .................................... 104
*Un repli sur soi protège de la douleur mais peut entraver la résilience.*

L'école est un facteur de résilience quand la famille et la culture lui donnent ce pouvoir .................. 107
*Quand la menace ne vient que des adultes, l'école est une réprimande, mais quand elle vient de l'extérieur, l'école devient un havre sécurisant.*

L'étrange foyer de l'enfant adultiste ............... 110
*Quand les parents sont vulnérables les enfants en prennent grand soin.*

L'oblativité morbide, don excessif de soi, comme une rançon pour la liberté............................ 115
*On ne gagne pas sa liberté impunément.*

Se dégager du sacrifice pour gagner son autonomie ......................................... 118
*Prendre soin des faibles pour revaloriser et non pas pour dominer.*

## II

### LES FRUITS VERTS OU L'ÂGE DU SEXE

La narration n'est pas le retour du passé .......... 129
*Faire le récit de soi, c'est reconstruire son passé, modi-*
*fier l'émotion et s'engager différemment.*

Tout récit est un outil pour reconstruire son monde   131
*Un événement n'est pas ce qu'on peut voir, c'est ce qu'on*
*en fait pour devenir quelqu'un.*

Se débattre puis rêver............................. 136
*Quand on vit une détresse, la rêverie donne un espoir*
*fou.*

La ménagerie imaginaire et le roman familial....... 140
*Un enfant se sécurise par la bonne compagnie qu'il*
*vient de s'inventer. Il n'y a pas de création sans*
*effet.*

Donner forme à l'ombre pour se reconstruire. La
toute-puissance du désespoir...................... 143
*Quand le réel est inassimilable, tout dessin nous*
*sécurise en donnant forme au monde.*

Les livres du moi modifient le réel ................ 148
*Quand la fiction agit sur les faits, le réel en est poétisé.*

La littérature de la résilience travaille à la libération
bien plus qu'à la révolution ...................... 151
*Dans les sociétés totalitaires nous ne sommes pas sûrs*
*d'avoir le droit de raconter notre vie privée.*

TABLE                                                    257

Faire semblant pour fabriquer un monde ...........  154
*Toutes nos activités fondamentales sont d'abord mises*
*en scène dans notre théâtre préverbal.*

Le mensonge est un rempart contre le réel, la mythomanie un cache-misère .........................  156
*Le menteur se protège. Le mythomane se répare dans*
*l'instant du leurre.*

La fiction possède un pouvoir de conviction bien
supérieur à celui de l'explication ..................  161
*Aucune fiction n'est inventée à partir de rien.*

Prisonnier d'un récit .............................  163
*Quand le réel donne la nausée, la beauté n'arrive que*
*dans l'imaginaire.*

Le pouvoir réparateur des fictions peut modifier le
réel .............................................  166
*Il s'est servi du mensonge pour se construire lui-même.*

Un vétéran de guerre âgé de 12 ans ...............  171
*Il dévalorise les victimes, dénie sa souffrance et rêve de*
*retourner à l'école.*

Quand la paix devient effrayante ..................  175
*Comment fait-on pour vivre dans un pays en paix où il*
*n'y a aucune structure affective ni culturelle ?*

Malheur aux peuples qui ont besoin de héros .......  181
*Ils sont humiliés et se réparent en sacrifiant l'un d'eux.*

Au bonheur du petit blessé qui a besoin de héros ...  185
*Je ne sais pas pourquoi j'ai l'admiration si facile.*

L'angoisse du plongeur de haut vol ...............  189
*On me demande de plonger dans la vie sociale, mais*
*a-t-on mis de l'eau ?*

**Même les plus costauds ont peur de se lancer** ...... 192
*Il n'y a pas de rapport entre la dose et les effets : ce n'est pas le plus aimé qui est le plus costaud.*

**La croyance en un monde juste donne un espoir de résilience** ......................................... 197
*Le chercher c'est déjà la construire.*

**Peut-on faire d'une victime une vedette culturelle ?** .. 199
*Quand l'horrible conte de fées correspond à une attente sociale.*

**Comment réchauffer un enfant gelé** ................ 201
*La négligence affective est certainement la maltraitance qui augmente le plus en Occident, mais c'est aussi la plus difficile à voir.*

**Apprendre à aimer malgré la maltraitance** .......... 205
*Les amours naissantes provoquent des métamorphoses.*

**Se recoudre après la déchirure** ................... 209
*La manière dont les amoureux se rencontrent peut empêcher la fêlure de devenir cassure.*

**C'est à la culture de souffler sur les braises de résilience** ........................................... 213
*Quand l'idéologie du lien empêche ce retour de flamme.*

**Prendre des risques pour ne pas penser** ........... 217
*En contraignant à l'immédiat, l'intensité du risque permet d'éviter de penser.*

**Balises culturelles pour la prise de risque : l'initiation** 220
*Tout affrontement nous aide à découvrir qui l'on est. Tout événement nous aide à thématiser notre existence.*

**Sécurité affective et responsabilisation sociale sont
les facteurs primordiaux de la résilience**............ 225
*On ne peut pas dire qu'un attachement troublé mène à
la drogue. Mais on peut dire qu'un attachement serein
n'y mène presque jamais.*

CONCLUSION ........................ .............. 231
*À la fin de son existence, une personne sur deux aura
connu un événement qualifiable de traumatisme. Une
personne sur dix restera mortifiée, prisonnière de la blessure. Les autres, en se débattant, reprendront vie grâce à
deux mots : le « lien » et le « sens ».*

NOTES......................................... 237

DU MÊME AUTEUR

*Mémoire de singe et paroles d'homme*, Hachette, 1983 ; Hachette-Pluriel, 1984

*Sous le signe du lien*, Hachette, 1989 ; Hachette-Pluriel, 1992 (Prix Sciences et Avenir 1990)

*La Naissance du sens*, Hachette, 1991

*Les Nourritures affectives*, Odile Jacob, 1993 (Prix Blaise Pascal 1994) ; « Poches Odile Jacob », 2000

*L'Ensorcellement du monde*, Odile Jacob, 1997 (Prix Synapse 1997)

*Un merveilleux malheur*, Odile Jacob, 1999 (Prix Medec 2000)

*Les Vilains Petits Canards*, Odile Jacob, 2001

OUVRAGES COLLECTIFS :

*De l'inceste*, Odile Jacob, 1994, avec Françoise Héritier, Aldo Naouri

*L'Intelligence avant la parole*, ESF, 1998, avec Michel Soulé

*Ces enfants qui tiennent le coup* (dir.), Hommes et perspectives, 1998

*Si les lions pouvaient parler* (dir.), Gallimard, 1998

*Dialogue sur la nature humaine*, L'Aube, 2000, avec Edgar Morin

*La Plus Belle Histoire des animaux*, Seuil, 2000 (Prix Littré), avec Pascal Picq, Jean-Pierre Digard, Karine Lou Matignon

Ouvrage proposé par Gérard Jorland
et publié sous sa responsabilité éditoriale.

*Cet ouvrage a été composé et imprimé par*

**FIRMIN DIDOT**
GROUPE CPI
*Mesnil-sur-l'Estrée*

*pour le compte des Éditions Odile Jacob*
*en décembre 2002*

*Imprimé en France*
Dépôt légal : décembre 2002
N° d'édition : 7280-1220-X − N° d'impression : 61966